S'épanouir

Guy Saint-Jean Éditeur
3440, boul. Industriel
Laval (Québec) Canada H7L 4R9
450 663-1777
info@saint-jeanediteur.com
www.saint-jeanediteur.com

....

Données de catalogage avant publication disponibles à Bibliothèque et Archives nationales du Québec et à Bibliothèque et Archives Canada

....

Nous reconnaissons l'aide financière du gouvernement du Canada par l'entremise du Fonds du livre du Canada (FLC) ainsi que celle de la SODEC pour nos activités d'édition.

Financé par le gouvernement du Canada | **Canadä**   SODEC Québec

Gouvernement du Québec – Programme de crédit d'impôt pour l'édition de livres – Gestion SODEC

Titre original : *Fulfillment Needs*
© Copyright 2015 par Michael Losier
© Guy Saint-Jean Éditeur inc., 2016, pour l'édition en langue française publiée en Amérique du Nord

Correction : Chloë Trihan
Conception graphique de la couverture : Christiane Séguin
Mise en pages : Olivier Lasser

Dépôt légal — Bibliothèque et Archives nationales du Québec, Bibliothèque et Archives Canada, 2016
ISBN : 978-2-89758-094-0
ISBN ePub : 978-2-89758-095-7
ISBN PDF : 978-2-89758-096-4

Imprimé au Canada
1re impression, mars 2016

 Guy Saint-Jean Éditeur est membre de l'Association nationale des éditeurs de livres (ANEL).

MICHAEL J. LOSIER

Par l'auteur du best-seller *La loi de l'attraction*

S'épanouir

SE CHOISIR
DÉCOUVRIR SES BESOINS
ATTEINDRE SES BUTS

Guy Saint-Jean
ÉDITEUR

Table des matières

Introduction

Mes deux livres précédents, *La loi de l'attraction* et *Créez des liens authentiques grâce à la PNL,* visaient à aider les lecteurs à obtenir plus de ce qu'ils veulent et moins de ce qu'ils ne veulent pas, dans toutes les sphères de leur vie, y compris dans leurs relations personnelles et professionnelles. Or, avec le temps et au fil de conversations, de séminaires et de formations en ligne, j'ai fini par constater que de nombreuses personnes n'ont pas conscience de ce qu'elles veulent et de ce dont elles ont besoin pour que leur vie soit plus joyeuse et plus gratifiante.

Ce fut un constat troublant, car il ne faisait pas de doute à mes yeux que ces personnes, à défaut de savoir ce qui leur manquait, ne savaient pas où concentrer leurs énergies pour combler le manque dont elles souffraient.

Puis en 2010, alors que je donnais une formation en Malaisie sur la loi de l'attraction, l'un de mes hôtes, Siva, a voulu que je lui explique plus en détail comment il pouvait déterminer ses besoins en matière d'épanouissement. Il m'avait entendu dire que toutes les activités liées à mon travail – mes principaux séminaires, les séances de dédicace, les entrevues à la radio et à la télévision et les conférences d'ouverture – étaient des activités qui participaient à mon épanouissement. Il savait que je prenais mes décisions rapidement et m'avait souvent entendu dire que telle ou telle chose ne me comblerait pas ou que telle ou telle autre me comblerait. Siva voulait donc savoir comment s'y prendre.

En une heure et quelques questions ciblées, et à partir de certaines notions intuitives, j'expliquai à Siva la démarche que je présente dans ce livre. Il ne lui en fallut pas plus pour déterminer les quatre principales clés de son épanouissement – ce que j'appelle son Top 4 – et pour comprendre ce qui permettrait ou non de combler les besoins essentiels à cet épanouissement.

Au terme de cette heure, il était clair à mes yeux que je devais revoir mon approche et montrer aux gens inscrits à mes séminaires et formations en ligne, ainsi qu'à mes lecteurs, comment déterminer leurs propres besoins, les clés de leur épanouissement. Ils pourraient ensuite appliquer cette information à *La loi de l'attraction* et à *Créez des liens authentiques grâce à la PNL*.

Découvrir les clés de votre accomplissement est une démarche ; ce n'est pas un don quelconque que j'ai reçu. En fait, je n'ai pas toujours été aussi conscient qu'aujourd'hui des besoins que je devais satisfaire pour me sentir accompli. Pour arriver à ma certitude actuelle, j'ai suivi les étapes que je vais suivre avec vous.

À l'occasion, nous devons tous faire des choses peu gratifiantes, mais nous devrions avoir pour objectif de choisir, aussi souvent que possible, d'accomplir des choses qui *sont* gratifiantes. Aux oreilles de plusieurs, cela semble égoïste. Pourtant, lorsqu'on veille à satisfaire les besoins essentiels à notre épanouissement, on ne s'occupe pas uniquement de soi : on détermine les besoins d'autrui et on y répond aussi. Si vous le faites, vous enrichirez vos relations personnelles et professionnelles et, par conséquent, votre vie s'en trouvera améliorée.

Cet ouvrage vous guidera tout au long des étapes qui vous permettront de déterminer vos quatre besoins principaux et de détenir les quatre clés de votre épanouissement. Vous y apprendrez aussi comment faire entrer dans votre vie ce dont vous avez besoin. On y va ? Alors, tournez la page.

— Michael

Les objectifs de ce livre

1. Vous aider à découvrir et à définir ce qui vous comble.

2. Vous apprendre comment intégrer les clés de votre épanouissement dans toutes les sphères de votre vie.

3. Vous inciter à tenir compte de vos besoins dans les décisions qui concernent votre carrière, vos relations interpersonnelles et vos choix personnels.

La formule pour vivre une vie épanouie

COMPRENDRE

- Votre but dans la vie
- Les clés de votre épanouissement
- Maîtriser la liste des besoins à l'origine de votre épanouissement
- Interpréter vos besoins

DÉCOUVRIR

- Les démarches pour découvrir les clés de votre épanouissement professionnel, relationnel et personnel

METTRE EN PRATIQUE

- Et maintenant que je sais, qu'est-ce que je fais ?
- Dans vos relations interpersonnelles
- Comment utiliser la loi de l'attraction

CE LIVRE SE COMPOSE D'UNE SÉRIE DE DÉMARCHES

Cet ouvrage est un livre de développement personnel, ce qui signifie que vous y apprendrez comment franchir chaque étape par vous-même. Suivez les étapes, faites les exercices et allez au bout de chaque démarche avant de passer à la suivante.

Vous serez récompensé par une compréhension très nette de ce qui vous comble: vos quatre besoins dont la satisfaction est essentielle à votre épanouissement, c'est-à-dire votre Top 4 à vous.

Résultat optimal après avoir fait toutes les démarches

Comme vous l'apprendrez bientôt, vous avez des besoins dont la satisfaction vous permettra de vous sentir épanoui.

Certains besoins peuvent sembler moins importants que d'autres. Ce ne sont pas vos besoins les plus forts ou les plus importants.

En revanche, vous constaterez que certains besoins sont très grands et que leur satisfaction est très importante. Vous devrez absolument les combler. Vous saurez alors qu'il s'agit de votre Top 4: les quatre clés de votre épanouissement!

Idéalement, vous aurez découvert votre Top 4 après avoir suivi toutes les démarches que prescrit ce livre. Vous aurez aussi appris à en tenir compte au moment de prendre des décisions au travail, dans vos relations et dans toutes les sphères de votre vie.

Votre récompense, après avoir fait le travail, sera une meilleure compréhension des sources de votre épanouissement et la capacité de prendre des décisions qui vous procureront de la joie.

CE QUE DISENT CEUX QUI ONT PU DÉFINIR LEUR TOP 4

Avant de commencer quelque chose, je vérifie si c'est conforme à mon Top 4 et si ce quelque chose me fait vibrer. Je le sais à mon degré d'excitation.

— RITA

J'utilise cette information de plusieurs façons : 1) Dans mes relations personnelles, je n'hésite plus à faire valoir mes besoins auprès de ma famille (ce que je ne faisais pas avant). 2) Lorsqu'on me sollicite pour prendre un projet, j'ai conscience de mes besoins, et si le projet va à l'encontre de ces derniers, je passe mon tour. 3) Lorsque je cherche des mandats, j'ai une idée très précise de ce que je cherche et de ce qui me rendra heureuse.

— ANNE-MARIE

J'assume avec plus d'assurance les rôles qui m'incombent et mes relations avec les gens. J'arrive à mieux comprendre et à prioriser mes ambitions. Je comprends les raisons qui m'ont poussée à faire certains choix qui, même s'ils n'étaient pas forcément bons, émanaient d'un besoin qui n'était pas éloigné de mon Top 4. J'ai appris à rediriger mon énergie vers les choses et les gens qui serviront mon objectif et qui me serviront. J'ai pu comprendre et cerner les éléments déterminants de mon but et de mes passions.

— ELIZABETH

Je tourne le dos à tout ce qui, dans ma vie, ne me procure pas un sentiment d'accomplissement. J'ai complètement changé depuis que j'ai défini mon Top 4. J'ai lu beaucoup de ce qu'a écrit Michael, et j'ai changé des choses dans plusieurs sphères de ma vie, y compris dans la sphère amoureuse. C'est comme un miracle ; je ne cesse d'obtenir plus de ce que je veux, et après quatre années vraiment pénibles, je me sens en paix et satisfaite. C'est incroyable !

— SHEENA

Quand je décide de ce que je veux faire, c'est pratique de savoir ce qui sera le plus satisfaisant pour moi. Je n'ai pas eu de mal à déterminer le besoin le plus important pour moi, mais les deux derniers m'ont donné du fil à retordre.

— GWYNNE

Ma plus grande surprise fut de prendre conscience de mon besoin de « sécurité » ; l'autre surprise fut d'admettre à quel point j'avais besoin qu'on m'apprécie et qu'on reconnaisse et salue ma contribution. J'ai cherché des occasions susceptibles de me procurer un sentiment de sécurité (une nouveauté pour moi). Cela signifie que j'ai cherché des avenues susceptibles de m'ouvrir à d'autres personnes, et que je me concentre sur des relations durables et non des aventures. Je pense beaucoup plus aux moyens de tabler sur mes connaissances, et j'envisage de prendre soin de moi à l'avenir.

— MAUREEN

Je comprends maintenant pourquoi je fais ce que je fais. Je m'emploie dorénavant à intégrer mon Top 4 dans mes plans d'action, autant au travail que dans mes activités personnelles.

— MARTIN

Chaque fois que je me lance dans quelque chose ou que je suis confrontée à un choix, je prends le temps de me demander si mon choix répondra à mes besoins d'épanouissement. C'est ce que je fais constamment au travail et dans ma vie personnelle, et je me suis aperçue que j'opte pour des projets attrayants, intéressants et valorisants. C'est très gratifiant. Je suis beaucoup plus heureuse et je me sens plus comblée que je ne l'ai jamais été ! Je fais la même chose dans mes relations personnelles... c'est très important pour avoir un sentiment d'appartenance !

— Rhonda

1. Comprendre

QUE SONT, EXACTEMENT, LES CLÉS DE L'ÉPANOUISSEMENT ?

J'ai choisi l'expression « clés de l'épanouissement » après avoir entendu de nombreuses personnes dire à quel point elles ne se sentaient pas épanouies. À mes yeux, cela signifiait qu'il manquait à ces personnes certains éléments qui leur auraient procuré un sentiment d'épanouissement. Autrement dit, si elles arrivaient à combler certains de leurs besoins, elles tiendraient les clés de leur épanouissement.

D'autres termes servent à décrire ce type de besoin. En voici quelques-uns :

- **Valeurs fondamentales personnelles**
- **Facteurs intrinsèques (ou de motivation)**
- **But dans la vie**
- **Vocation**
- **Mission de vie**
- **Sens de la vie**
- **Besoins impérieux**
- **Raison d'être**

Je tiens surtout à vous faire comprendre que la satisfaction de certains besoins nous procure de la joie. Lorsque ces besoins sont comblés, nous éprouvons un sentiment d'épanouissement. La reconnaissance de ces besoins fournit les clés pour s'épanouir.

J'aime rendre des procédés complexes faciles à comprendre et à mettre en pratique. Ceux d'entre vous qui ont lu mes deux autres livres, *La loi de l'attraction* et *Créez des liens authentiques grâce à la PNL,* reconnaîtront dans ces pages le style que j'avais adopté dans les ouvrages précédents.

Certains besoins, lorsqu'ils
sont comblés, procurent
un sentiment d'épanouissement ;
connaître ces besoins,
c'est tenir les clés de son
sentiment d'épanouissement.

Quel rapport y a-t-il entre vos besoins clés et votre mission de vie?

Quel est votre but dans la vie?

Est-ce que vous, ou quelqu'un de votre entourage, peinez à déterminer votre mission de vie, la raison de votre présence sur cette Terre?

Voilà *la* GRANDE question: «Quel est mon but dans la vie?»

Observez ces deux conversations sur la question. Remarquez la similitude dans la conclusion de chaque conversation.

Conversation avec un enseignant.

Michael: Selon vous, quel est le but de votre vie?

Enseignant: Le but de ma vie est d'enseigner et d'éduquer des gens.

Michael: Comment vous sentez-vous lorsque vous enseignez et éduquez des gens?

Enseignant: Lorsque j'enseigne, je ressens une grande satisfaction et de la joie.

Michael: Donc l'enseignement vous procure de la joie?

Enseignant: C'est ça, enseigner me procure, du plaisir, de la joie.

Michael: Si vous occupiez un emploi ou étiez dans une relation qui ne vous permettait ni d'enseigner ni d'éduquer les gens, comment vous sentiriez-vous?

Enseignant: Si je ne pouvais ni enseigner ni éduquer les gens, je ne me sentirais pas utile ou inspiré; je n'aurais pas de plaisir.

Conversation avec une artiste.

Michael : Selon vous, quel est le but de votre vie ?

Artiste : Certainement mon travail artistique et ma créativité.

Michael : Comment vous sentez-vous lorsque vous travaillez sur des projets artistiques et avez la possibilité d'être créative ?

Artiste : C'est très inspirant pour moi. Ça me procure tellement de joie.

Michael : Être créative et travailler sur des projets artistiques vous procurent de la joie ?

Artiste : Oui, beaucoup.

Michael : Si vous occupiez un emploi qui ne vous permettait ni d'être créative ni d'exercer votre art, comment vous sentiriez-vous ?

Artiste : Si j'avais un emploi qui ne me permettait ni d'être créative ni de pratiquer mon art, je ne ressentirais aucun plaisir.

Si vous demandiez à 100 personnes de décrire leur but dans la vie, vous obtiendriez 100 réponses différentes. Celles-ci couvriraient tous les domaines. Demandez ensuite : « Pour réaliser quoi ? » Puis enfin : « Et qu'est-ce que ça vous apporte ? »

En quoi les clés de votre épanouissement sont-elles liées à votre but dans la vie?

Quel est votre but dans la vie?	Pour réaliser quoi?		Qu'est-ce que ça vous apporte?
Chanter	Pour plaire à un auditoire	Pour être aimé et admiré	**Du plaisir**
Danser	Pour me dépenser et tenir la forme	Être heureuse	**Du plaisir**
Faire de la course automobile	Pour l'excitation	Oublier ma vie ordinaire	**Du plaisir**
Devenir médecin	Pour aider les gens malades	Me sentir utile	**Du plaisir**
Enseigner	Pour amener des gens à réaliser leur potentiel	Pour qu'ils se sentent épanouis	**Du plaisir**
Sauver la planète	Pour nous permettre d'y vivre plus longtemps	Pour être plus à l'aise avec mes actions	**Du plaisir**
Prendre soin des personnes âgées	Pour veiller sur les autres	Pour leur procurer plus de confort	**Du plaisir**
Me produire sur une scène	Pour partager mon talent avec un auditoire	Pour lui procurer du plaisir	**Du plaisir**
Être entraîneur de soccer à l'école secondaire	Pour aider des jeunes à réaliser leur potentiel	Pour trouver un sentiment d'accomplissement	**Du plaisir**

Que ressentez-vous lorsque vous remplissez votre but dans la vie ?

Du plaisir. Tout simplement du plaisir. D'autres parleront de bonheur, de bonnes vibrations, d'extase ou de joie, ce qui nous ramène à une chose : le PLAISIR.

Vous savez à quel point tout semble bien tourner dans la vie lorsque vous êtes dans le bonheur et le plaisir. À l'inverse, vous savez aussi comment tout semble aller de travers quand vous n'êtes pas dans le plaisir.

Comme le montre le schéma ci-dessous, votre état d'esprit est directement lié aux résultats que vous obtenez ou, si vous préférez, au tour que prend votre vie :

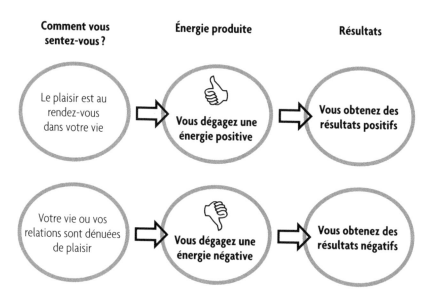

L'objectif, c'est donc le plaisir?

Si la joie est l'objectif, la question à se poser est : «Qu'est-ce qui me procure de la joie?»

De nombreuses personnes sont incertaines et ne savent trop comment répondre à cette question. Certaines personnes ne croient même pas qu'il soit possible et acceptable d'éprouver du plaisir.

Qu'est-ce qui vous procure de la joie?

D'où vient votre joie? Des sensations? Des relations? De votre emploi ou de votre carrière? De votre famille? Lorsque vous aurez répondu à cette question, vous devrez vous poser la question suivante : «Qu'est-ce qui, dans ces sensations, cette relation ou cet emploi, me procure du plaisir?»

Cette deuxième question vise à vous révéler comment vos stratégies pour trouver du plaisir vous permettent de satisfaire vos besoins et d'être épanoui. C'est LA grande question à laquelle cet ouvrage vous permettra de répondre. Vous apprendrez quelles sont les clés de votre épanouissement et, surtout, vous découvrirez votre Top 4. Les quatre besoins les plus impérieux pour vous, les quatre clés de votre épanouissement.

2. Comment atteindre votre objectif par l'épanouissement

TENIR LES CLÉS

Lorsque vous tenez les **clés de votre épanouissement**, vous pouvez créer et favoriser les **stratégies** propices à la satisfaction de vos besoins. Le **PLAISIR** survient lorsque vos besoins sont satisfaits.

L'objectif est
le PLAISIR :
votre but dans la vie

Votre épanouiss-o-mètre

Il est important de prendre conscience du degré de plaisir que vous procurent vos choix. Votre «épanouiss-o-mètre» interne vous permet de mesurer votre degré de plaisir.

Qu'est-ce que c'est?

Votre épanouiss-o-mètre est un autre nom pour désigner vos **sentiments**.

Vos sentiments reflètent constamment le plaisir que vous éprouvez dans diverses situations et vous en donnent la mesure.

Votre degré d'épanouissement correspond à votre degré de plaisir.

Si nous devons parfois faire des choses qui ne nous procurent aucun plaisir, l'objectif consiste à choisir, le plus souvent possible, des choses qui SONT des sources de plaisir.

Pour rester joyeux, vous devez «alimenter» votre épanouiss-o-mètre en recourant à des stratégies qui amènent du plaisir dans votre vie. Idéalement, l'aiguille de votre épanouiss-o-mètre pointera vers la droite («élevé»), et vous éviterez les choses qui réduisent votre plaisir (c'est-à-dire qui ne vous comblent pas ou qui ne vous rendent pas heureux). Par conséquent, vous devez devenir «égoïste» en ce qui a trait à votre degré d'épanouissement visé.

Pour être dans le plaisir aussi souvent que vous le souhaiteriez, vous devez faire des choix qui peuvent sembler égoïstes, mais qui ne sont au fond que des démonstrations d'autonomie. Soyez suffisamment autonome pour maintenir votre épanouiss-o-mètre au maximum!

Autonomie

De la culpabilité et de l'inconfort ?

Oui, certaines personnes évitent ou se sentent coupables de faire des choix qui les aident, ELLES, à se sentir bien.

Si vous vous sentez coupable ou rétif à l'idée de faire certains choix, rappelez-vous que lorsque vous vous sentez bien, vous pouvez mieux aider les autres. Nous voulons tous fréquenter des gens qui nous remontent le moral, et ces personnes sont généralement positives parce qu'elles éprouvent du plaisir dans leur vie.

Ce n'est pas un hasard si vous avez choisi de lire ce livre.

– N'est-il pas temps que VOUS vous sentiez épanoui ?

– Qu'est-ce qui changerait, dans votre vie, si vous faisiez des choix en fonction de VOUS ?

– Qu'est-ce qui changerait, dans votre vie, si VOUS étiez l'ami ou le parent proche de qui l'on dit : « C'est la personne la plus inspirante que je connaisse » ?

Vous vous souciez sans doute de ce que vous mangez, de la musique que vous écoutez et de ce que vous portez. Le moment est maintenant venu de déployer autant d'attention à vos choix de carrière, d'amoureux ou d'amis.

Vous devez être attentif aux moments où vous vous sentez épanoui et à ceux où vous ne l'êtes pas, que ce soit dans vos relations, à la maison, avec vos voisins, dans vos loisirs et au travail. Tout est lié à votre épanouissement.

Vous prendrez de meilleures décisions lorsque vous connaîtrez votre Top 4

Lorsque vous saurez quelles sont les quatre clés de votre épanouissement, vous pourrez utiliser cette information pour prendre vos décisions. Quand vient le temps de choisir une nouvelle carrière ou de laisser entrer quelqu'un dans votre vie, votre épanouiss-o-mètre (vos sentiments) mesurera le degré de plaisir que vous procure la perspective de prendre cette décision. Il vous indiquera si le choix que vous vous apprêtez à faire est le bon pour vous. Vous pouvez utiliser votre épanouiss-o-mètre pour toutes sortes de décisions, qu'il s'agisse d'acheter une nouvelle maison ou de choisir votre prochaine destination de vacances. Les possibilités ne manquent pas.

Les couples devraient aussi être attentifs à l'épanouiss-o-mètre de leur conjoint pour s'assurer que les décisions importantes qu'ils prennent répondent aux besoins des deux.

En connaissant le Top 4 de vos collègues ou de vos proches, vous améliorerez vos relations

Lorsque vous connaissez et respectez les besoins des gens qui vous entourent, vous améliorez vos rapports avec eux, de même que l'harmonie et la communication au sein de votre relation.

Plus loin dans cet ouvrage, je traite des stratégies à la portée des couples pour découvrir, comprendre et satisfaire les besoins de leur conjoint afin qu'elle ou il se sente épanoui.

J'expliquerai aussi comment vous pouvez appliquer ces mêmes stratégies à votre environnement de travail pour soutenir vos employés, vos collègues et vos cadres afin que les besoins essentiels à leur épanouissement soient comblés.

Lorsque la définition et la satisfaction de votre Top 4 vous permettront de vous sentir épanoui régulièrement, vous voudrez faire connaître cette démarche à d'autres et travailler avec eux afin que vos besoins respectifs soient satisfaits.

Sommaire
et aide-mémoire
de cette partie

Pour comprendre la relation entre la satisfaction des besoins essentiels à votre épanouissement et votre but dans la vie

Cette partie vous a permis de découvrir :

- [ ] **Que le PLAISIR est le but de l'existence.**

- [ ] **Que le PLAISIR est l'objectif.**

- [ ] **En quoi consistent les besoins essentiels à l'épanouissement.**

- [ ] **Qu'il existe des stratégies pour satisfaire les besoins essentiels à son épanouissement.**

- [ ] **Votre épanouiss-o-mètre personnel, qui mesure votre degré de plaisir à partir de vos sentiments.**

- [ ] **Que la connaissance de vos besoins essentiels à votre épanouissement vous aidera à prendre de meilleures décisions.**

- [ ] **Que la connaissance et le respect des besoins d'autrui peuvent améliorer nos relations avec les gens.**

3. Les 30 :

La liste des besoins essentiels
à l'épanouissement

LES BESOINS LES PLUS COURANTS

J'ai dressé, à la page suivante, les 30 besoins les plus courants dont la satisfaction est essentielle à l'épanouissement. Durant les nombreuses années où j'ai aidé des gens à découvrir leurs besoins à cet égard, ces 30 besoins sont ceux qui ont été mentionnés le plus souvent.

À ce stade-ci, je ne fais que vous présenter la liste. Vous l'utiliserez tout au long de ce livre pour déterminer les besoins qui sont importants pour vous. Pour l'instant, contentez-vous de parcourir la liste et de noter les mots qui résonnent particulièrement en vous.

Un glossaire interprétatif

Certaines personnes ne sont pas sûres de comprendre la signification de certains besoins de la liste. J'ai donc constitué un glossaire des besoins essentiels à l'épanouissement pour vous aider à préciser le sens des mots.

J'utilise le terme «interprétatif» parce que les définitions reflètent les interprétations les plus courantes que j'ai recueillies auprès de personnes qui ont fait cette démarche.

Certains des mots n'ont peut-être pas pour vous la signification que d'autres en ont. Ce n'est pas plus mal. Plus loin dans cette partie, j'explique comment vous pouvez «recadrer» les significations pour qu'elles correspondent à votre propre interprétation. Aux fins de notre exercice, il n'y a pas de mauvaise définition. C'est VOTRE interprétation qui compte!

Consultez le glossaire interprétatif à la page 139.

Liste des besoins liés à l'épanouissement

Accomplissement	Inclusion
Appartenance	Individualité
Appréciation	Influence
Approbation	Intégrité
Attention	Intimité
Autonomie	Leadership
Aventure	Liberté
Communauté	Originalité
Confiance	Plaisir
Contribution	Pouvoir
Contrôle	Réussite
Créativité	Reconnaissance
Défi	Sécurité
Équité	Unicité
Gratitude	Valorisation

Puis-je ajouter d'autres besoins à la liste ?

En parcourant la liste une première fois, certaines personnes n'y retrouvent pas l'un des besoins qu'elles associent à leur épanouissement. Certains besoins dont la satisfaction vous apparaît étroitement liée à votre épanouissement peuvent être décortiqués et révéler un autre besoin qui figure déjà sur la liste.

À la découverte des véritables besoins

Lorsque quelqu'un souhaite ajouter un nouveau besoin à la liste, je lui pose deux questions pour l'aider à déterminer si son besoin en cache un autre : « Pourquoi faire ? » et « Qu'est-ce que ça va t'apporter ? »

Les deux besoins les plus souvent mentionnés par les gens qui souhaitent enrichir la liste sont le besoin d'argent et le besoin de stimulation intellectuelle. Vous trouverez des exemples de réponses qu'on m'a servies. Remarquez que dans chaque exemple, le fait de répondre à la question « Qu'est-ce que ça va m'apporter ? » permet de révéler un autre besoin.

Et vous ? Aimeriez-vous ajouter un besoin à cette liste ? Si oui, faites le test en répondant aux deux questions ci-dessus, pour déterminer s'il s'agit de besoins conditionnels à votre épanouissement.

Voici ce que certains de mes clients ont découvert lorsqu'ils ont soumis les besoins d'argent et de stimulation intellectuelle à mes deux questions.

J'ai besoin d'argent :

Question 1 :
Pourquoi faire ?

Question 2 :
Qu'est-ce que
ça va m'apporter ?

a) Pour pouvoir prendre des vacances et voyager plus.
→ a) Un sentiment de liberté.

b) Pour pouvoir en donner à des gens dans le besoin.
→ b) Le sentiment de faire ma part, de faire une contribution.

c) Pour mieux veiller sur ma famille.
→ c) Un sentiment de sécurité et de confiance.

Remarquez que c'est ce que procure l'argent qui permet de révéler le véritable besoin derrière celui d'avoir de l'argent.

Voyons maintenant le besoin de stimulation intellectuelle.

J'ai besoin de stimulation intellectuelle :

Question 1 :
Pourquoi faire ?

Question 2 :
Qu'est-ce que
ça va m'apporter ?

a) Pour cesser de m'ennuyer.
→ a) Un défi mental.

b) Pour pouvoir échanger des idées auprès de quelqu'un avec qui j'ai des atomes crochus.
→ b) Un sentiment d'appartenance.

c) Pour apprendre et enrichir mes connaissances.
→ c) Un sentiment d'accomplissement et une valorisation.

À votre tour.

Comment rempliriez-vous ce tableau ?

J'AI BESOIN DE _____

Question 1 : Pourquoi faire ?

Question 2 : Qu'est-ce que ça va m'apporter ?

a) Pour… _____ ➜ a) Pour… _____
_____ _____

b) Pour… _____ ➜ b) Pour… _____
_____ _____

c) Pour… _____ ➜ c) Pour… _____
_____ _____

J'AI BESOIN DE _____

Question 1 : Pourquoi faire ?

Question 2 : Qu'est-ce que ça va m'apporter ?

a) Pour… _____ ➜ a) Pour… _____
_____ _____

b) Pour… _____ ➜ b) Pour… _____
_____ _____

c) Pour… _____ ➜ c) Pour… _____
_____ _____

C'est VOTRE définition et VOTRE perception qui comptent.

Lorsque vous ferez les exercices pour déterminer votre Top 4, rappelez-vous que *votre interprétation et votre perception des termes sont ce qui compte vraiment,* même si elles diffèrent des interprétations d'autrui.

Vous trouvez peut-être qu'un besoin est important pour vous, mais la perception négative que d'autres ou vous-mêmes en avez vous gêne. Si c'est le cas, modifiez votre interprétation en lui donnant une tournure qui vous ressemble plus. Voyez, ci-dessous, comment trois personnes peuvent interpréter différemment le besoin de CONTRÔLE.

Quelle est votre interprétation du mot « CONTRÔLE » ?

_____

_____

_____

Pour avoir une bonne perception de vos besoins

En plus d'être plus ou moins à l'aise avec la signification de certains besoins, vous avez peut-être l'impression que vous ne méritez pas de voir ces besoins comblés. Ou alors, vous éprouvez une certaine appréhension à l'égard des changements que vous croyez devoir faire pour que ces besoins soient comblés.

J'ai aussi éprouvé de l'appréhension lorsque j'ai défini mon Top 4.

Le Top 4 de mes besoins est :

1. L'attention
2. L'influence
3. L'intimité
4. La liberté

Je me suis rendu compte que je devais « recadrer » la connotation de ces termes de manière à pouvoir mieux les adopter.

VOTRE sentiment à l'égard du terme est ce qui prime. Vous pouvez faire en sorte qu'un besoin vous corresponde parfaitement en donnant au mot un sens qui vous convient. Voici de quelle façon je « recadre » mes besoins :

RECADRER le sens

Ma démarche d'interprétation

J'ai toujours su que j'aimais avoir de l'attention, mais intérieurement, j'entendais d'autres voix dire que le besoin d'attention était quelque chose de négatif, qui impliquait de se pavaner. Considérant cette connotation négative pour plusieurs, j'étais embarrassé de reconnaître que le besoin d'attention faisait partie de mon Top 4. Je savais que je devais « recadrer » le mot « attention » pour arriver à l'adopter. Recadrer un terme, c'est le voir ou l'entendre selon un autre point de vue, ou lui donner un sens différent.

Voici mon Top 4 et les modifications que j'ai apportées à la connotation des besoins afin qu'ils me correspondent davantage.

> J'ai recadré le mot
> Attention *au sens d'une*
> # Prévenance
>
> J'aime vraiment quand mes élèves sont attentifs et font honneur à l'énergie que je leur consacre en m'écoutant et – bien sûr – en étant influencés de façon positive par mes propos.

> *J'ai recadré le mot*
> Influence *au sens d'une*
> # Influence positive
>
> J'aime quand des gens me disent à quel point mes livres ou mes séminaires ont exercé une influence positive sur eux et lorsqu'ils citent un passage de mon livre qui a changé leur façon de penser. J'aime exercer une influence positive sur les gens.

> *J'ai recadré le mot* Intimité
> *au sens de* Attaches
>
> Le mot *Intimité* est de ceux qu'il faut toujours interpréter. Pour moi, l'intimité est liée à la conversation. Par exemple, si nous nous retrouvons autour d'un café, la conversation prendra forcément un tour personnel ; je vous demanderai, par exemple, quel effet la loi de l'attraction a eu sur votre vie ou je vous ferai parler de vos réussites, de votre développement personnel ou de vos relations. Tous ces sujets, pour moi, nous entraînent dans une forme d'intimité qui crée des liens.

J'étais à l'aise avec le mot
Liberté

Mon quatrième besoin était le besoin de liberté. La liberté signifie pour moi la capacité de décider de mon emploi du temps. Le temps est l'une de mes valeurs. Je chéris le temps que je passe avec de bons amis. Je respecte mon temps et celui des autres. Lorsque je planifie mes conférences et mes formations, je tiens donc toujours compte du temps que je passerai loin de chez moi.

C'est VOTRE interprétation qui compte.

LES 30 : LA LISTE DES BESOINS ESSENTIELS...

Sommaire
et aide-mémoire
de cette partie

Les 30 principaux besoins essentiels à l'épanouissement et leur signification

Cette partie vous a permis de découvrir :

- ☐ La liste des 30 besoins essentiels à l'épanouissement.

- ☐ Qu'il est possible de tester d'autres termes pour déterminer s'il s'agit de véritables besoins essentiels à l'épanouissement.

- ☐ Que le glossaire à la fin de l'ouvrage permet de préciser le sens de certains mots.

- ☐ Qu'il est possible de « recadrer » le sens des mots selon la connotation qu'on leur prête.

- ☐ Que VOTRE interprétation des mots est ce qui compte par-dessus tout.

4. Découvrir

3 SPHÈRES PROPICES À L'ÉPANOUISSEMENT

Bien que l'objectif soit d'être épanouis dans toutes les sphères de notre vie, cette partie s'intéresse aux sphères sur lesquelles les gens choisissent généralement de travailler :

1. L'épanouissement professionnel

2. L'épanouissement relationnel

3. L'épanouissement personnel

Pour chacune de ces sphères, je vous présente un élève qui a utilisé la démarche de découverte proposée dans ces pages :

L'épanouissement professionnel

Vous ferez la connaissance de Trevor, un comptable chevronné qui, après avoir travaillé de nombreuses années, se sent moins épanoui au travail.

L'épanouissement relationnel

Vous ferez la connaissance de Lucie, qui en a assez de chercher l'âme sœur et qui souhaite définir ce qui la comblerait chez le partenaire idéal.

L'épanouissement personnel

Vous ferez la connaissance de Sophie, qui aspire à du changement dans sa vie: elle s'ennuie, piaffe d'impatience et comprend maintenant que sa vie ne la comble pas.

L'épanouissement professionnel

Le cas de Trevor

Bonjour, je m'appelle Trevor et je suis comptable-fiscaliste. Je dirais même plus : je suis un excellent comptable-fiscaliste. C'est un travail auquel j'accorde beaucoup d'importance. La précision y est une valeur primordiale. Je suis un professionnel estimé et j'ai gagné la confiance de mes clients, qui s'en remettent à moi pour s'éviter des impôts trop élevés et des maux de tête.

J'ai gravi les échelons, j'ai travaillé fort et j'ai maintenant une entreprise florissante qui emploie deux personnes et génère de bons revenus pour ma famille et moi. Bien que ma vie familiale me comble – j'aime ma femme, mes enfants, mon chien et ma maison –, il manque quelque chose.

Cette pensée me revient constamment… comme une envie sous-jacente… de quelque chose qui rendrait ma vie plus complète. J'ai l'impression que certains besoins importants ne sont pas satisfaits par la vie que je me suis construite. J'ai aussi une conscience aiguë du temps qui passe, et je ne veux pas me réveiller un bon matin en regrettant de n'avoir pas pris les moyens pour rendre ma vie plus riche.

Quand j'étais jeune, j'ai appris de mes parents que faire sa place et trouver un emploi stable étaient des valeurs clés. Être autonome, fiable et devenir un bon pourvoyeur étaient les plus grandes aspirations que je pouvais combler. Eh bien, j'y suis arrivé et j'aspire à plus. Je ne veux pas plus de biens ou de gens dans ma vie, je veux ressentir une plus grande satisfaction. Qu'est-ce que j'ai manqué ?

Je repense à mes grands-parents, décédés depuis long-temps, qui ont connu une tout autre époque que la nôtre. Ils étaient cultivateurs et tiraient une grande fierté de leur terre et de ce qu'ils procuraient à leur collectivité. Ils semblaient toujours parfaitement satisfaits de leur vie et des choix qu'ils avaient faits bien que personnellement, je ne pourrais imaginer vivre aussi simplement et avec aussi peu de res-sources qu'eux. Visiblement, ils arrivaient à être heureux sans avoir une grosse maison et une voiture de luxe, sans voyager à fort prix ni disposer d'argent à dépenser comme bon leur semblait. Quel était leur secret ?

Pour être bien franc – et c'est presque sacrilège d'y songer – j'arrive à la conclusion que je devrais abandonner mon emploi actuel et trouver un travail que j'aime vraiment. C'est LA sphère de ma vie qui me laisse complètement à plat sur le plan affectif. Je ne me rappelle pas la dernière fois que j'ai éprouvé de l'enthousiasme en me rendant au travail. Au début, j'ai eu du plaisir à bâtir mon entreprise parce que je faisais preuve de créativité et je prenais un risque. Maintenant que l'entreprise va bien, les heures consacrées à revoir des chiffres, des reçus et des formulaires ne me procurent guère de stimulation. C'est ça que je ferai jusqu'à ma retraite ?

J'ai décidé que j'avais besoin d'aide pour y voir plus clair. Je vais utiliser la démarche des clés de l'épanouissement pour creuser et voir quel genre de travail m'allumerait vraiment. Rien qu'à penser que mon travail pourrait devenir une source de plaisir – comme l'est ma famille – je me sens excité. Alors, on y va !

LA DÉMARCHE DE DÉCOUVERTE

Je dois faire quatre exercices pour m'aider à déterminer mes quatre clés d'épanouissement :

Exercice n° 1 – Éplucher et réduire la liste des besoins

Exercice n° 2 – Fiche de travail Découvrir – MON EMPLOI ACTUEL

Exercice n° 3 – Fiche de travail Découvrir – UN EMPLOI ANTÉRIEUR

Exercice n° 4 – Fiche de travail Découvrir – MON PIRE EMPLOI

EXERCICE N° 1

D'après ce que j'ai compris des clés de l'épanouissement, je serai heureux si je satisfais certains besoins. Pas plus compliqué que ça. C'est vraiment une approche simple et intuitive pour vivre une vie heureuse et gratifiante. Par contre, ce qui me rend heureux ne comblera pas forcément une autre personne. J'ai besoin de formes et de structure pour déterminer clairement *où réside ma joie.*

Je vais donc commencer par éplucher la liste des besoins liés à l'épanouissement et n'en tirer que les mots qui ont une connotation et une résonance particulières pour moi. J'aime bien utiliser mon instinct et mes réactions spontanées pour orienter ma décision. J'ai réfléchi à chaque mot et évalué rapidement ma réaction émotive à chacun. Je n'ai pas eu besoin de réfléchir longtemps pour rayer les mots qui ne résonnent pas pour moi. Voici ma liste écourtée et quelques commentaires sur ma démarche de raffinement :

Liste écourtée des besoins essentiels à l'épanouissement de Trevor

BESOINS	NOTES
Accomplissement	*Ces deux mots évoquent la même chose, mais j'adore atteindre un but important !*
Appartenance	*Oui, si on veut.*
Appréciation	
Approbation	*Pas très fier de l'admettre...*
Attention	
Autonomie	*Incontournable !*
Aventure	*J'aime l'inconnu et ne compter que sur mes propres ressources. Pas sûr que ce soit une qualité gagnante au travail.*
Communauté	
Confiance	
Contribution	*Ouep*
Contrôle	*Un peu intense, mais oui, peut-être bien.*
Créativité	*Miam !*
Défi	*Je n'ai jamais été si fier que lorsque j'ai lancé mon entreprise.*
Équité	
Gratitude	
Inclusion	*En y réfléchissant bien, ce mot me plaît assez.*
Individualité	*Oui, peut-être.*
Influence	*Ah oui, mes tripes aiment ça.*
Intégrité	
Intimité	*S'applique plus quand je pense à ma famille, alors on verra.*
Leadership	*Ma femme aimerait, alors vaut mieux garder ce mot.*
Liberté	*Oh ! Celui-là résonne parfaitement !*
Originalité	
Plaisir	*Ça semble un peu enfantin comme mot, mais je le garde...*
Pouvoir	
Réussite	

Reconnaissance	
Sécurité	*Sentiment intéressant pour ce mot aussi. Je n'y aurais pas pensé.*
Unicité	*Je veux vivre une vie unique, mais est-ce bien raisonnable ?*
Valorisation	

* Transcrivez maintenant les mots que vous n'avez pas rayés de la liste ci-dessus dans la grille qui se trouve ci-dessous, dans la colonne Exercice n° 1.

* Vous pouvez utiliser le tableau ci-dessous pour cocher les besoins que les exercices suivants révèleront :

Exercice n° 1	Exercice n° 2			Exercice n° 3			Exercice n° 4		
Accomplissement									
Appartenance									
Approbation									
Autonomie									
Aventure									
Contribution									
Contrôle									
Créativité									
Défi									
Inclusion									
Individualité									
Influence									
Intimité									
Leadership									
Liberté									
Plaisir									
Réussite									
Sécurité									
Unicité									

EXERCICE N° 2 : MON EMPLOI ACTUEL

Comme je l'ai dit, je travaille à mon compte comme comptable-fiscaliste. Du côté positif, j'ai de bons revenus, les gens me font confiance et j'aime simplifier pour eux un processus qu'ils trouvent complexe. Je suis fier d'avoir réussi à lancer et faire fructifier mon entreprise par moi-même. Devenir son propre patron, c'est tout un exploit, et j'avoue que j'aime le fait de ne pas avoir quelqu'un qui passe tout le temps derrière moi.

Mon travail comporte aussi des inconvénients, à commencer par celui de travailler presque toujours seul. Il faut parfois des jours pour débroussailler de mauvaises pratiques de tenue de livres, et il peut devenir frustrant de voir tout le temps et l'argent perdus à cause de l'incompétence des autres. Il m'arrive, après une journée de travail vraiment frustrante, de me demander si je passerai le reste de ma vie à démêler les fouillis des autres.

LA FICHE DE TRAVAIL DE TREVOR – MON EMPLOI ACTUEL

DANS MON EMPLOI ACTUEL, JE N'AIME VRAIMENT PAS...

A. Complétez la phrase « *Je n'aime vraiment pas...* » en énumérant quatre aspects de votre emploi actuel.	Indiquez ensuite, à partir de votre liste de besoins personnels à combler, un besoin insatisfait par chaque aspect.
1. Travailler seul plusieurs heures d'affilée.	➡ APPARTENANCE
2. La frustration devant la paperasse désorganisée des clients.	➡ CONTRÔLE, ACCOMPLISSEMENT
3. Avoir l'impression que je n'en verrai jamais la fin.	➡ ACCOMPLISSEMENT
4. L'aspect répétitif des tâches quotidiennes.	➡ DÉFI, CRÉATIVITÉ

DANS MON EMPLOI ACTUEL, J'ADORE...

B. Complétez la phrase « *J'adore...* » en énumérant quatre aspects de votre emploi actuel.	Indiquez ensuite, à partir de votre liste de besoins personnels à combler, un besoin que satisfait chaque aspect.
1. Travailler à mon compte et savoir que j'ai créé une entreprise qui marche.	➡ RÉUSSITE, CRÉATIVITÉ
2. Exercer un travail lucratif qui me préserve de l'insécurité financière.	➡ SÉCURITÉ, AUTONOMIE
3. Savoir que je soulage mes clients en leur évitant des casse-tête fiscaux.	➡ INFLUENCE, INTIMITÉ
4. Avoir le sentiment que je peux faire mes propres choix concernant mon avenir.	➡ LIBERTÉ, AUTONOMIE

EXERCICE N° 3 : UN EMPLOI ANTÉRIEUR

Je n'ai pas toujours été comptable-fiscaliste. J'ai occupé des emplois dans des écoles secondaires et des établissements de niveau collégial, et j'en ai eu d'autres ailleurs avant de décider de me spécialiser dans mon domaine actuel. Avant d'entrer au collège, j'ai travaillé pendant six mois pour un paysagiste ; c'est l'emploi que j'ai le plus aimé. Le salaire était passable, mais ce que j'aimais vraiment, c'était de travailler les deux mains dans la terre, et de voir le fruit de mes efforts pousser et fleurir (je tiens peut-être ça de mon grand-père). J'aimais aussi le fait qu'il fallait savoir jouer avec les couleurs, les textures, les formes tout en veillant à ce que le nouvel aménagement paysager s'adapte à son environnement. Je passe parfois en voiture devant des propriétés où j'ai participé à l'aménagement paysager, et je ressens une grande fierté devant ce que c'est devenu : j'ai l'impression de faire partie de quelque chose qui me dépasse. Quand je vois un arbre majestueux se dresser là où j'ai planté un semis, ou une vigne que j'ai taillée qui est maintenant chargée de grappes, je sais que mon travail a produit quelque chose de bon et de durable.

Pour être honnête, je n'aimais pas tout du travail de paysagement. Les journées de travail étaient longues, ce n'était pas payant et mon patron était exécrable. Il n'avait jamais l'air entièrement satisfait de mon travail. Et certains jours, je rentrais chez moi tellement épuisé que j'allais au lit sans souper.

LA FICHE DE TRAVAIL DE TREVOR – UN EMPLOI ANTÉRIEUR

DANS CET EMPLOI ANTÉRIEUR, JE N'AIMAIS VRAIMENT PAS...

A. Complétez la phrase « *Je n'aimais vraiment pas...* » en énumérant quatre aspects de cet emploi que vous avez occupé.	Indiquez ensuite, à partir de votre liste de besoins personnels à combler, le besoin que chaque aspect laissait insatisfait.
1. Travailler de longues heures pour un salaire minable.	➜ LIBERTÉ, SÉCURITÉ
2. Avoir un patron avec qui il était difficile de travailler ; il n'était jamais satisfait.	➜ APPROBATION, INTIMITÉ
3. Que le travail soit souvent épuisant physiquement.	➜ LIBERTÉ, PLAISIR
4. Que cet emploi n'offre pas de perspective à long terme.	➜ RÉUSSITE

DANS CET EMPLOI ANTÉRIEUR, J'ADORAIS...

B. Complétez la phrase « *J'adorais...* » en énumérant quatre aspects de votre ancien emploi.	Indiquez ensuite, à partir de votre liste de besoins personnels à combler, le besoin que satisfaisait chaque aspect.
1. Travailler avec mes mains.	➜ CONTRIBUTION
2. Agencer les couleurs et les textures.	➜ CRÉATIVITÉ, PLAISIR
3. Savoir que mon travail avait un impact durable.	➜ INFLUENCE, ACCOMPLISSEMENT
4. Travailler dehors.	➜ LIBERTÉ, AUTONOMIE

EXERCICE N° 4 : MON PIRE EMPLOI

J'ai aussi occupé mon pire emploi avant d'entrer au collège, alors que je travaillais pour l'entreprise de construction de mon grand frère. Je recevais un salaire dérisoire, mon frère était tyrannique et autoritaire, et je devais organiser des milliers de petits bidules stupides qui servaient à préserver la forme du ciment frais. C'était un cauchemar à démêler : lorsqu'ils en avaient terminé avec, les ouvriers les jetaient en tas, couverts de ciment séché. Je détestais perdre mon temps à nettoyer les dégâts des autres. Je ne comprenais pas qu'ils ne soient pas mieux organisés et respectueux du matériel.

Tout n'était pas que mauvais, cependant. J'ai appris la patience. J'ai aussi appris qu'il faut parfois persévérer pour arriver au bout de la tâche. Il régnait aussi une camaraderie parmi les ouvriers, ce que je ne retrouve pas dans mon travail actuel.

LA FICHE DE TRAVAIL DE TREVOR – MON PIRE EMPLOI

DANS CET EMPLOI DÉTESTABLE, JE N'AIMAIS VRAIMENT PAS...

A. Complétez la phrase « *Je n'aimais vraiment pas...* » en énumérant quatre aspects de cet emploi que vous avez occupé.	Indiquez ensuite, à partir de votre liste de besoins personnels à combler, le besoin que chaque aspect laissait insatisfait.
1. Le maigre salaire qui me donnait l'impression d'être exploité.	→ SÉCURITÉ, ACCOMPLISSEMENT
2. Perdre mon temps à ramasser les dégâts des autres.	→ CONTRIBUTION, INTIMITÉ
3. Me consacrer à des tâches insignifiantes et fastidieuses qui ne menaient pas à grand-chose.	→ PLAISIR, ACCOMPLISSEMENT
4. Mon frère dans son rôle de patron dominateur et détestable.	→ LIBERTÉ

DANS CET EMPLOI DÉTESTABLE, J'AIMAIS...

B. Complétez la phrase « *J'aimais...* » en énumérant quatre aspects de votre ancien emploi.	Indiquez ensuite, à partir de votre liste de besoins personnels à combler, le besoin que satisfaisait chaque aspect.
1. La camaraderie née du travail avec l'équipe.	→ APPARTENANCE
2. Savoir que je forgeais mon caractère.	→ DÉFI
3. Découvrir une industrie et observer le fonctionnement d'une entreprise.	→ CRÉATIVITÉ
4. Travailler dehors.	→ LIBERTÉ, AUTONOMIE

Calcul des résultats

La liste personnelle des besoins de Trevor est maintenant remplie. Les besoins à la clé de son épanouissement sont mis en lumière pour chaque exercice :

LISTE PERSONNELLE DES BESOINS DE TREVOR

	Exercice n° 1				Exercice n° 2				Exercice n° 3				Exercice n° 4			
Accomplissement	X	X							X				X	X		
Appartenance	X												X			
Approbation									X							
Autonomie	X	X							X				X			
Aventure																
Contribution									X				X			
Contrôle	X															
Créativité	X	X							X				X			
Défi	X												X			
Inclusion																
Individualité																
Influence	X								X							
Intimité	X								X				X			
Leadership																
Liberté	X								X	X	X		X	X		
Plaisir	X	X											X			
Réussite	X								X							
Sécurité	X								X				X			
Unicité																

Le Top 4 des besoins de Trevor

L'accomplissement
L'autonomie
La créativité
La liberté

QU'EST-CE QUI A CHANGÉ POUR TREVOR?

Les exercices ont été vraiment éclairants. En relisant la liste complète des besoins, je me suis même dit: «Wow! On peut vraiment se sentir aussi bien au travail? Je me prive depuis tout ce temps?»

Lorsque j'ai réduit la liste à mon Top 4, j'ai compris! Le rappel des expériences de travail qui m'avaient procuré du plaisir et de celles que j'avais détestées m'a vraiment aidé à y voir plus clair. Je me rends compte que j'ai besoin de sentir que mon travail exerce un effet durable et positif sur les gens. Je veux voir les résultats de mon travail et sentir que ce que je fais sert à quelque chose. Je comprends aussi que, quelle que soit la direction que je choisis de prendre, j'ai besoin d'être aux commandes. Je ne veux pas de patron ni de codirection.

Je suis également en mesure de constater que ce qui manque à mon travail actuel et qui constitue mon besoin le plus crucial pour m'épanouir, c'est la créativité. Le travail de paysagiste me permettait de créer quelque chose là où il n'y avait rien, de mettre de la vie dans un lieu désolé, de voir le potentiel d'un lieu.

L'épanouissement relationnel

Le cas de Lucie

Ma mère disait souvent : « *Lucie, l'océan est rempli de poissons ; pince-toi le nez et choisis-en un.* » En vraie fille de la côte Est, ma mère aimait les métaphores de pêche. Elle était aussi très conservatrice et considérait les relations amoureuses à travers les filtres de la religion et du devoir. «Lorsque ça mord, accroche-toi et ramène la prise. Installe-toi en ménage, fonde une famille et vous vivrez heureux jusqu'à la fin des temps.» Cette leçon apprise tôt est à l'origine de mes difficultés actuelles à trouver un compagnon de vie.

Quand j'étais adolescente, je me voyais devenir amoureuse d'un bel homme mystérieux qui m'emmènerait loin de mon patelin à bord d'un Westfalia. On irait à Baja et on s'épouserait sur la grève, nos chevilles baignées des lueurs de la bioluminescence.

Je cherche ce marin depuis que j'ai terminé mes études, et chaque année qui passe rend ma recherche un peu plus urgente.

C'est ce qui fait que je vais trop vite avec les hommes que je rencontre et que je leur fais peur. Quelques-uns me l'ont même avoué dans une lettre de rupture. J'en ai une collection. C'est comme si je faisais une course idiote contre la montre. Il s'agit peut-être, en fait, de mon horloge biologique.

J'ai bel et bien peur de passer à côté de l'homme de ma vie. Je veux des enfants et des petits-enfants, mais je ne veux pas me contenter du premier venu. J'aspire à rencontrer un homme qui sera à mes côtés durant les bons et les mauvais moments, qui aime les bébés, les pique-niques et les films de *Star Trek*.

Je me sens attirée par deux forces contraires. Est-ce que je mets le grappin sur le prochain qui nage à proximité ou si je continue à chercher l'âme sœur ? Mon besoin de sécurité et de stabilité l'emportera-t-il sur mon besoin de romantisme et d'amour ?

Ça ne devait pas se passer comme ça. Trouver l'âme sœur est censé être un phénomène naturel ou miraculeux. À quel moment est-ce devenu une démarche calculée et organisée ?

J'ai eu envie d'y voir plus clair à l'aide de la grille d'exercices des clés de l'épanouissement, comme une façon de démêler ce qui importe vraiment pour moi et de déterminer ce qui me procure de la joie.

LA DÉMARCHE DE DÉCOUVERTE

Je dois faire quatre exercices pour m'aider à déterminer mes quatre clés d'épanouissement :

Exercice n° 1 – Éplucher et réduire la liste des besoins

Exercice n° 2 – Fiche de travail Découvrir – MA RELATION ACTUELLE

Exercice n° 3 – Fiche de travail Découvrir – MA RELATION ANTÉRIEURE

Exercice n° 4 – Fiche de travail Découvrir – MA PIRE RELATION

EXERCICE N° 1

L'amour, l'amour, l'amour ! La voilà, ma liste. C'est tout ce dont j'ai besoin… Sauf que le mot « amour » n'apparaît même pas dans la liste des besoins. C'est peut-être parce que l'amour n'en est pas un ? C'est plus une action, mettons. Quand je dis que j'ai besoin d'amour, je suppose que ce à quoi j'aspire, au fond, c'est l'état d'esprit que me procure l'amour.

La liste maîtresse des besoins répertorie toute une gamme de sentiments et d'états d'esprit que n'importe qui peut comprendre et qu'on a tous connus. À première vue, j'aperçois beaucoup de mots qui ne me correspondent pas du tout. Je ne peux même pas concevoir que le mot « pouvoir » puisse être une clé vers mon épanouissement. Le tri devrait être assez facile à faire.

Ma liste raccourcie apparaît à la page suivante. J'ai été surprise de certains des choix que j'ai faits.

Liste écourtée des besoins essentiels à l'épanouissement de Lucie

BESOINS	NOTES
Accomplissement	
Appartenance	*Dans mon esprit, ça ressemble au besoin de communauté.*
Appréciation	
Approbation	*L'opinion de ma mère compte beaucoup pour moi.*
Attention	*Qui n'aime pas recevoir de l'attention ?*
Autonomie	
Aventure	*D'accord, du moment qu'il y a l'air conditionné.*
Communauté	*J'ai un sentiment de sécurité quand je sais que je compte pour beaucoup de gens.*
Confiance	*Même réponse que ci-dessus.*
Contribution	
Contrôle	*Est-ce que ça veut dire que je suis contrôlante ?*
Créativité	
Défi	
Équité	
Gratitude	
Inclusion	
Individualité	*Oui, mais je ne suis pas sûre que ça ait un lien quelconque avec ce dont je rêve.*
Influence	
Intégrité	*Je veux un conjoint intègre. La confiance, c'est important.*
Intimité	*J'aime pouvoir montrer mon côté fragile.*
Leadership	*Ça vient avec le fait d'avoir des enfants.*
Liberté	
Originalité	*Je suis une princesse après tout.*
Plaisir	*J'aime avoir du plaisir. Même le mot plaisir me fait plaisir.*
Pouvoir	*Maintenant que j'ai commencé l'exercice, je donne un sens plus positif au mot « pouvoir ».*
Réussite	*C'est peut-être mon éducation, mais fonder une famille est très important, et je serais fière qu'on m'appelle maman.*

Reconnaissance	*J'imagine que oui.*
Sécurité	*Je ne veux pas vieillir seule.*
Unicité	*Je veux vivre une vie unique, mais est-ce bien raisonnable ?*
Valorisation	*Je veux être importante pour les autres.*

* Transcrivez maintenant les mots que vous n'avez pas rayés de la liste ci-dessus dans la grille de la page suivante, dans la colonne Exercice n° 1.

* Vous pouvez utiliser le tableau ci-dessous pour cocher les besoins que les exercices suivants révèleront :

LISTE PERSONNELLE DES BESOINS DE LUCIE											
Exercice n° 1			**Exercice n° 2**			**Exercice n° 3**			**Exercice n° 4**		
Appartenance											
Approbation											
Attention											
Aventure											
Communauté											
Confiance											
Contrôle											
Individualité											
Individualité											
Intimité											
Leadership											
Originalité											
Plaisir											
Pouvoir											
Réussite											
Reconnaissance											
Sécurité											
Unicité											
Valorisation											

EXERCICE N° 2 : MA RELATION ACTUELLE

Eh bien, je rencontre beaucoup d'hommes… mais je dirais que mon partenaire du moment est Steve. C'est un type qui a beaucoup d'humour. On rit tout le temps. Alors il répond certainement à mon critère de plaisir. Tout est plus simple pour ceux qui ont le sens de l'humour. Steve aspire aussi à découvrir le monde, ce qui est aussi un de mes rêves.

Steve est barman dans une boîte de nuit que je fréquente. Il rentre tard et est constamment entouré de femmes légèrement ivres qui flirtent avec lui. Il sait que ça me rend folle, mais c'est sa job. J'aimerais bien mieux qu'il soit barman au Club de l'âge d'or. Ça m'insécurise vraiment beaucoup, parfois.

Bien que je n'aie rien contre le métier de barman, son salaire nous permettrait-il d'acheter une maison ? Et quelle sorte de père fera-t-il s'il travaille jusqu'aux petites heures du matin ? Notre relation n'est pas assez développée pour que je m'aventure à discuter de ces choses avec lui, mais il ne semble pas avoir l'ambition requise pour faire autre chose dans la vie.

Heureusement, Steve trouve que je suis une fille épatante. Quand on est ensemble, il est fou de moi et me fait sentir importante. Il me fait des petits cadeaux et offre de me masser les pieds.

Steve me plaît vraiment beaucoup, mais j'entends le tic-tac de mon horloge et je ne peux m'empêcher de penser qu'il ne fait pas partie de mon rêve de fonder une famille, du moins pas avec son travail actuel.

LA FICHE DE TRAVAIL DE LUCIE — MA RELATION ACTUELLE

DANS MA RELATION ACTUELLE, JE N'AIME VRAIMENT PAS...	
A. Complétez la phrase « *Je n'aime vraiment pas...* » en énumérant quatre aspects de votre relation ACTUELLE.	Indiquez ensuite, à partir de votre liste de besoins personnels à combler, un besoin insatisfait par chaque aspect.
1. Craindre que Steve soit infidèle.	➔ CONFIANCE
2. Avoir l'impression qu'il ne sera pas un bon pourvoyeur.	➔ SÉCURITÉ
3. Penser que je devrai élever les enfants sans son aide.	➔ SÉCURITÉ APPARTENANCE
4. Son manque d'ambition pour améliorer son sort.	➔ VALORISATION INTÉGRITÉ
DANS MA RELATION ACTUELLE, J'ADORE...	
B. Complétez la phrase « *J'adore...* » en énumérant quatre aspects de votre relation ACTUELLE.	Indiquez ensuite, à partir de votre liste de besoins personnels à combler, un besoin que satisfait chaque aspect.
1. Le sens de l'humour de Steve.	➔ PLAISIR
2. Que nous ayons le même rêve de voyager.	➔ AVENTURE
3. Me sentir aimée et chérie.	➔ ATTENTION, INTIMITÉ
4. Sentir que je suis importante pour lui.	➔ VALORISATION

EXERCICE N° 3 : UNE RELATION ANTÉRIEURE

Quand je repense à mes relations antérieures, il y en a une qui se distingue parce qu'à l'époque, elle semblait renfermer toutes les promesses et la sécurité auxquelles j'aspire.

Ma première rencontre avec Paul fut électrique. Il enseignait la mécanique quantique à des étudiants de premier cycle à l'université. Il décrivait de façon fascinante le fonctionnement du monde subatomique. Je ne comprenais pas vraiment la majeure partie de ce qu'il racontait, mais son enthousiasme était contagieux. Lorsqu'il se lançait dans l'une de ses délirantes explications, j'avais presque l'impression qu'il tirait un rideau pour me laisser entrevoir les secrets de l'univers.

Paul était un romantique et rêvait de fonder une famille un jour. Il avait un bon salaire et un poste permanent : on peut difficilement rêver de plus sûr.

Cependant, Paul avait une aversion pour l'intimité affective. C'était son principal défaut. Il reculait chaque fois que je tentais un rapprochement. Lorsque je pleurais, il me tapotait l'épaule en produisant des sons censés me réconforter, mais il n'essayait jamais de me comprendre. Fréquenter Paul signifiait que je devais mettre ma personnalité en veilleuse et lui laisser toute la place.

Était-ce son intelligence et l'adoration que lui vouaient ses étudiants ? Il était incapable de comprendre les concepts de vulnérabilité et d'humilité.

Je me suis lassée d'essayer d'attendrir un cœur qui refusait de s'ouvrir. Il me donnait l'impression de n'être ni importante ni aimable.

LA FICHE DE TRAVAIL DE LUCIE – UNE RELATION ANTÉRIEURE

DANS CETTE RELATION ANTÉRIEURE, JE N'AIMAIS VRAIMENT PAS...

A. Complétez la phrase « *Je n'aimais vraiment pas...* » en énumérant quatre aspects de cette relation ANTÉRIEURE.	Indiquez ensuite, à partir de votre liste de besoins personnels à combler, le besoin que chaque aspect laissait insatisfait.
1. Sentir le détachement de Paul quand j'exprimais mes émotions.	INTIMITÉ, APPARTENANCE
2. Me sentir incomprise.	INTIMITÉ, RECONNAISSANCE
3. Sentir que j'avais le rôle secondaire dans la relation.	POUVOIR, RECONNAISSANCE
4. Pourchasser quelqu'un qui ne partageait pas ma passion.	ATTENTION, INTIMITÉ

DANS CETTE RELATION ANTÉRIEURE, J'ADORAIS...

B. Complétez la phrase « *J'adorais...* » en énumérant quatre aspects de cette relation ANTÉRIEURE.	Indiquez ensuite, à partir de votre liste de besoins personnels à combler, le besoin que satisfaisait chaque aspect.
1. La fascination que j'éprouvais pour cette personne.	PLAISIR, ORIGINALITÉ
2. Que nous ayons le même rêve de fonder une famille.	APPARTENANCE, CONFIANCE
3. Le fait que Paul suscitait l'admiration et inspirait le respect.	POUVOIR, INTÉGRITÉ
4. La notion de sécurité financière et de stabilité.	CONFIANCE, SÉCURITÉ

EXERCICE N° 4 : MA PIRE RELATION

Misère. Il faut vraiment que je revienne là-dessus? Ma pire relation amoureuse s'inscrit comme un phare à l'intention de toutes les femmes. Ne vous aventurez pas dans ces eaux! Récifs abondants. Je parle bien sûr d'une relation qui a tourné à la violence psychologique.

Marc était pompier. Il faisait figure de héros à plusieurs égards. Il était courageux et direct. Ses compagnons de la caserne savaient qu'ils pouvaient compter sur lui. Marc était tellement dédié à son travail que j'ai toujours eu l'impression qu'il avait vécu quelque chose de terrible qui le poussait à dépasser les limites. Il était toujours en train de faire ses preuves, de terrasser un dragon.

Je me suis mise à fondre pour lui, au point de ne plus voir clair et de le poursuivre de mes assiduités. Marc était alors un gentleman. Il était galant, me tenait la porte et m'offrait son bras lorsque nous marchions dans les rues le soir. Avec le temps, toutefois, il a commencé à perdre patience, à me reprocher des peccadilles et, surtout, à me critiquer et à m'humilier.

Notre relation a adopté un pattern de colère et de propos injurieux suivis d'une réconciliation. J'en suis venue à un point où je croyais que je n'avais d'autre choix que de rester avec Marc. Qui d'autre voudrait de moi? Il s'assurait de saboter mon estime de soi au point où j'étais reconnaissante de la moindre marque de gentillesse qu'il me témoignait.

Ce fut une période sombre qui, heureusement, ne dura pas. Grâce à une aide extérieure, j'ai fini par comprendre que je n'avais rien à voir avec sa colère et les méchancetés qu'il m'adressait. J'ai alors compris que s'il devait régler ses démons du passé, il aurait à le faire sans moi.

LA FICHE DE TRAVAIL DE LUCIE – MA PIRE RELATION

DANS CETTE RELATION DÉTESTABLE, JE N'AIMAIS VRAIMENT PAS...	
A. Complétez la phrase « *Je n'aimais vraiment pas...* » en énumérant quatre aspects de cette relation DÉTESTABLE.	Indiquez ensuite, à partir de votre liste de besoins personnels à combler, le besoin que chaque aspect laissait insatisfait.
1. Le regarder compenser les blessures de son passé.	→ INTÉGRITÉ, CONTRÔLE
2. Craindre ses accès de colère et son mauvais caractère.	→ CONFIANCE
3. Qu'il me critique pour des choses qui ne me concernaient pas.	→ INTÉGRITÉ, CONTRÔLE
4. La perte de mon estime de soi.	→ ORIGINALITÉ, POUVOIR

DANS CETTE RELATION DÉTESTABLE, J'AIMAIS...	
B. Complétez la phrase « *J'aimais...* » en énumérant quatre aspects de cette relation DÉTESTABLE.	Indiquez ensuite, à partir de votre liste de besoins personnels à combler, le besoin que satisfaisait chaque aspect.
1. Être avec quelqu'un qui inspirait le respect et l'admiration.	→ CRÉATIVITÉ
2. Me sentir respectée et valorisée, au début de la relation.	→ ATTENTION
3. Imaginer une vie avec un revenu stable.	→ CONFIANCE, CONTRÔLE
4. Apprendre que l'estime de soi vient de l'intérieur de soi et non des autres.	→ POUVOIR

Calcul des résultats

La liste personnelle des besoins de Lucie est maintenant remplie. Les besoins à la clé de son épanouissement sont mis en lumière dans chaque exercice :

LISTE PERSONNELLE DES BESOINS DE LUCIE																
	Exercice n° 1				Exercice n° 2				Exercice n° 3				Exercice n° 4			
Appartenance	✗								✗	✗						
Approbation																
Attention	✗								✗				✗			
Aventure	✗															
Communauté																
Confiance	✗								✗	✗			✗	✗		
Contrôle													✗	✗	✗	
Individualité	✗	✗							✗				✗			
Intégrité	✗								✗				✗	✗	✗	
Intimité	✗								✗	✗	✗					
Leadership																
Originalité									✗				✗			
Plaisir									✗				✗			
Pouvoir									✗	✗			✗	✗		
Réussite																
Reconnaissance									✗	✗						
Sécurité	✗	✗							✗							
Unicité	✗	✗														
Valorisation	✗	✗														

Le Top 4 des besoins de LUCIE

La confiance
L'intimité
L'intégrité
Le pouvoir

QU'EST-CE QUI A CHANGÉ POUR LUCIE?

Vous savez, si je m'étais contentée de deviner quels étaient mes besoins au lieu de faire cette démarche, j'aurais pensé que le « plaisir » et l'« aventure » feraient partie de ma sélection. Jamais je n'aurais pensé que le « pouvoir » constituerait l'un de mes quatre besoins.

J'ai appris que pour combler mon Top 4, je ne peux pas emprunter de raccourcis. L'intégrité, l'intimité, le pouvoir et la confiance… Si ces besoins sont comblés, ma vie reposera sur du solide.

Je me sens plus sage maintenant. Je peux avancer en pleine connaissance plutôt que de foncer tête baissée. Qui sait si ma relation actuelle avec Steven durera? Je sais au moins, maintenant, quelles sont les clés qui me permettront de vivre heureuse avec quelqu'un. J'ai tellement hâte! Oui, je sais, chaque chose en son temps.

L'épanouissement personnel

Le cas de Sophie

Je m'appelle Sophie et je suis teeeeeellement prête pour un changement dans ma vie! Au cours des dernières années, j'ai réalisé que j'étais de plus en plus insatisfaite de la tournure que prend ma vie. J'ai l'impression de passer à côté de quelque chose. Je ne peux pas croire que la vie se résume à travailler, à dormir et à manger. Que ce soit bien clair : j'adore mon travail de coiffeuse. Il me permet d'être créative et d'interagir avec toutes sortes de gens (j'aime vraiment parler avec les gens de ce qu'ils vivent et font), en plus de payer les comptes. Non, le problème ne se trouve pas du côté du travail.

Ma vie sociale est passablement occupée. Je sors beaucoup avec mes amies : on se fait des soupers de filles, on va au cinéma et on va danser au bar local. Mes amies ne sont pas compliquées : on ne se paye pas des discussions profondes et on ne gratte pas de bobo. On s'amuse! Mais parfois (presque tout le temps en fait ces jours-ci), j'ai l'impression d'être enlisée, que rien ne change vraiment, et que le sens profond de mon passage sur cette Terre m'échappe.

Ce n'est pas que je n'apprécie pas la compagnie de mes amies. Je les adore! Seulement, je peux aussi être heureuse lorsque je suis seule. Mon imagination débordante me procure ma dose de divertissement – je me fais rire, je brille par mon sens de la conversation (ha! ha!), j'aime me trémousser en solo – à l'abri des regards, bien sûr. Si je pouvais me cloner, je serais ma meilleure amie et confidente. À l'exception de ma mauvaise habitude de perdre le fil de ce que je racontais et de vider le contenu du frigo sans m'en rendre compte... de quoi parlais-je, déjà? Ah oui!

Pour tout dire, ce ne sont pas d'amis différents dont j'ai besoin. Je sais simplement que j'ai encore beaucoup à apprendre sur moi et sur mon rôle dans la vie.

Une pensée obsédante revient sans cesse me tourmenter et, franchement, ça me fait peur parfois... l'idée qu'il manque un ingrédient clé à mon bonheur. Je crois que cette vie que je me suis créée ne parvient pas à combler un ou des besoins importants pour moi. Je suis aussi très consciente du temps qui passe, et je ne voudrais pas en venir à regretter de ne pas avoir pris les moyens de devenir cette version améliorée de moi-même. J'ai suffisamment regardé Oprah pour savoir qu'une version plus authentique de moi attend d'éclore ; je ne sais juste pas encore qui est cette personne ni ce qui la rend vraiment heureuse.

On m'a dit que cette démarche pour déterminer mes besoins peut m'aider à découvrir ce qui me procurera la satisfaction à laquelle j'aspire. Je n'ai jamais été très analytique, mais je suis prête à essayer.

LA DÉMARCHE DE DÉCOUVERTE

Je dois faire quatre exercices pour m'aider à déterminer mes quatre clés d'épanouissement :

Exercice n° 1 – Éplucher et réduire la liste des besoins

Exercice n° 2 – Fiche de travail Découvrir – MA VIE PERSONNELLE ACTUELLE

Exercice n° 3 – Fiche de travail Découvrir – MA VIE PERSONNELLE PASSÉE

Exercice n° 4 – Fiche de travail Découvrir – MA PIRE EXPÉRIENCE DE VIE

EXERCICE N° 1

S'épanouir... mmm. J'aime ce que ce mot évoque. Ça me parle d'ouverture, de plénitude. Je sens déjà que je m'engage dans la bonne voie.

Je dois d'abord choisir, parmi la liste des besoins, ceux que je considère comme importants pour moi et rayer ceux qui le sont moins. Je comprends que cette liste représente la majorité des besoins que la plupart des gens trouvent importants et que je peux en ajouter si je le souhaite.

Voici les résultats de mon travail. Je me suis bien amusée ! Ça m'a fait réaliser à quel point les gens sont différents ; il y a toutes sortes de façons d'être heureux, finalement. Je dois simplement trouver la combinaison qui colle vraiment à ce que je suis.

Liste écourtée des besoins essentiels
à l'épanouissement de Sophie

BESOINS	NOTES
Accomplissement	
Appartenance	*Je ne sais pas si c'est un besoin, mais j'aime les gens.*
Appréciation	*J'aime qu'on ait une bonne opinion de moi.*
Approbation	*Pas facile de passer à côté de celui-là.*
Attention	*Des hommes, genre? Je ne suis pas certaine de saisir de quel type d'attention on parle ici.*
Autonomie	*Peut-être.*
Aventure	*Je n'ai peut-être pas l'air aventureuse comme ça, mais c'est bien ainsi que je me perçois.*
Communauté	
Confiance	
Contribution	*Oui, bien sûr.*
Contrôle	
Créativité	*J'ai tellement à offrir dans ce rayon!*
Défi	
Équité	*Intéressant. Je le garde pour l'instant.*
Gratitude	
Inclusion	
Individualité	*Ça me ressemble.*
Influence	*Hmmm... pas sûre, mais je le garde pour l'instant.*
Intégrité	*Si ça sous-entend que je veux vivre selon mes valeurs.*
Intimité	
Leadership	*À certains égards.*
Liberté	*OUI!!*
Originalité	*Je n'aime pas ce mot, mais je vais m'en remettre.*
Plaisir	*Je crois qu'«excitation» me conviendrait plus.*
Pouvoir	*J'aime penser que j'ai un certain pouvoir, mais pas sur les gens.*
Réussite	

Reconnaissance	
Sécurité	
Unicité	*Je me considère unique. C'est peut-être un besoin ?*
Valorisation	

* Transcrivez maintenant les mots de la liste qui n'ont pas été rayés dans le tableau de la page suivante, sous Exercice n° 1.

* Vous pouvez utiliser le tableau ci-dessous pour cocher les besoins que les exercices suivants révèleront :

LISTE PERSONNELLE DES BESOINS DE SOPHIE			
Exercice n° 1	Exercice n° 2	Exercice n° 3	Exercice n° 4
Appartenance			
Appréciation			
Approbation			
Attention			
Autonomie			
Aventure			
Contribution			
Créativité			
Équité			
Individualité			
Influence			
Intégrité			
Leadership			
Liberté			
Originalité			
Plaisir			
Pouvoir			
Unicité			

EXERCICE N° 2 : MA VIE PERSONNELLE ACTUELLE

Je définis ma vie personnelle comme la totalité de mes expériences, c'est-à-dire ce que je fais, ce que je ressens et ce qui occupe mon esprit lorsque je suis seule ou avec des amis, ainsi que ma vision de moi-même par rapport au monde. Je crois aussi que ma vie personnelle comprend mes croyances religieuses ou philosophiques, de même que les notions qui définissent ma personnalité.

Comme je l'ai mentionné, je mène une vie sociale gaie et animée. Mes amis sont toujours prêts à avoir du plaisir, et je sais qu'ils m'aiment et apprécient ma compagnie. J'aime vraiment faire partie de ce groupe d'amis. Malheureusement, ils ne connaissent pas ma vraie nature. Je crains de leur faire peur si je m'exprime sur tous les sujets sérieux qui m'importent. Mais entre vous et moi, il y a autre chose dans la vie que le karaoké et la danse en ligne.

Quand je suis seule, j'aime lire des trucs sur la spiritualité et la métaphysique. J'aime apprendre des choses incroyables, des trucs qui me poussent à remettre en question ma conception de la vie et à découvrir des facettes de ma véritable identité. Je sais, ce n'est pas le genre de truc qui intéresse la moyenne des coiffeuses.

J'ai commencé à m'intéresser à la méditation. Je passe mes grandes journées à placoter, et prendre le temps de faire taire mon esprit est un exercice que je trouve très éclairant.

LA FICHE DE TRAVAIL DE SOPHIE – MA VIE PERSONNELLE ACTUELLE

DANS MA VIE PERSONNELLE ACTUELLE, JE N'AIME VRAIMENT PAS...

A. Complétez la phrase « *Je n'aime vraiment pas...* » en énumérant quatre aspects de votre vie personnelle ACTUELLE.	Indiquez ensuite, à partir de votre liste de besoins personnels à combler, un besoin insatisfait par chaque aspect.
1. Me sentir limitée à des conversations superficielles.	➤ APPARTENANCE
2. Craindre d'être perçue comme excentrique ou bizarre.	➤ ÉQUITÉ
3. Penser que je gaspille ma vie à des frivolités.	➤ ORIGINALITÉ, UNICITÉ
4. Ne pas explorer de nouvelles idées et façons d'être.	➤ CRÉATIVITÉ

DANS MA VIE PERSONNELLE ACTUELLE, J'AIME...

B. Complétez la phrase « *J'aime...* » en énumérant quatre aspects de votre vie personnelle ACTUELLE.	Indiquez ensuite, à partir de votre liste de besoins personnels à combler, un besoin que satisfait chaque aspect.
1. Avoir un groupe d'amis sur qui je peux compter.	➤ APPARTENANCE
2. Explorer toutes sortes de concepts sur la personne.	➤ AVENTURE
3. Faire rire les gens et les mettre à l'aise.	➤ CONTRIBUTION, PLAISIR
4. Découvrir un sentiment profond de paix et de concentration.	➤ INTÉGRITÉ

EXERCICE N° 3 : MA VIE PERSONNELLE PASSÉE

Mon enfance est la période la plus heureuse de ma vie. J'aimais les longs étés qui suivaient l'année scolaire et que nous passions au chalet. Je passais des heures à explorer les bois, à jouer autour du lac et à rêvasser dans le hamac. Je n'aimais rien autant que d'admirer les étoiles, couchée sur le quai, en songeant aux distances inimaginables qui m'en séparaient.

Je tendais les mains vers le ciel et m'émerveillais devant la silhouette de mes doigts contre la Voie lactée. Comment l'univers pouvait-il être si vaste ? Comment pouvais-je être si petite ? Pourquoi suis-je si petite dans un si vaste ensemble ? Tout ça n'existait-il que pour nous ? Tant de questions… tant de mystère.

Même lorsque j'étais jeune, je savais que ces questions étaient importantes. Mes parents ne pouvaient y répondre… je le sais puisque je les leur ai posées. Ma curiosité insatiable semblait les amuser, en même temps qu'elle les troublait par son intensité. J'imagine que mes parents croyaient que les poupées Barbie et le four Easy Bake étaient des moyens d'exploration plus courants pour une fillette de neuf ans. Je sentais que je ne correspondais pas toujours à ce qu'ils attendaient de moi, et c'est peut-être ce qui m'a poussée à adapter mon discours de façon à mieux cadrer avec leurs attentes.

Mes frères me traitaient de cinglée, alors je me gardais bien de m'ouvrir auprès d'eux. Un jour, je leur ai dit que nous ne pouvions être les seuls êtres vivants dans l'univers, et que d'autres espèces intelligentes existaient sûrement : l'espace est trop vaste ! Je veux dire, pensez-y ! Cet été-là, mes frères m'ont appelée « Boubarella », reine de la galaxie. J'en ris aujourd'hui, mais je me rappelle encore la honte que j'avais ressentie d'être étiquetée et tournée en ridicule simplement parce que j'étais curieuse et inventive. Je crois que la leçon que j'en ai tirée, à l'époque, était que je devais garder mes réflexions pour moi et choisir les personnes avec qui je les exprimais.

LA FICHE DE TRAVAIL DE SOPHIE – MA VIE PERSONNELLE PASSÉE

DANS MA VIE PERSONNELLE PASSÉE, JE N'AIMAIS VRAIMENT PAS...	
A. Complétez la phrase « *Je n'aimais vraiment pas...* » en énumérant quatre aspects de votre vie personnelle PASSÉE.	Indiquez ensuite, à partir de votre liste de besoins personnels, un ou des besoins que chaque aspect laissait insatisfaits.
1. Sentir que je ne pouvais pas exprimer ma curiosité.	LIBERTÉ, UNICITÉ
2. Craindre de ne pas être aimable.	APPROBATION, APPRÉCIATION
3. Avoir honte d'être perçue comme une enfant étrange.	LIBERTÉ, APPROBATION
4. N'avoir personne avec qui partager mes réflexions.	APPARTENANCE

DANS MA VIE PERSONNELLE PASSÉE, J'AIMAIS...	
B. Complétez la phrase « *J'aimais...* » en énumérant quatre aspects de votre vie personnelle PASSÉE.	Indiquez ensuite, à partir de votre liste de besoins personnels, un ou des besoins que satisfaisait chaque aspect.
1. Avoir le temps d'explorer mon imagination.	CRÉATIVITÉ, PLAISIR
2. Être en communion avec la nature.	AVENTURE
3. Me donner la permission de plonger dans mes réflexions.	LIBERTÉ
4. Développer mon autonomie.	POUVOIR

EXERCICE N° 4 : MA PIRE EXPÉRIENCE DE VIE

Ma pire expérience de vie personnelle fut sans contredit l'été qui a suivi la fin de mes études secondaires. J'étais tellement excitée à l'idée de commencer un nouveau chapitre de ma vie et de décrocher mon premier emploi. J'étais impatiente de goûter la liberté pour la première fois.

Mais cet été-là, la plupart de mes amis ont déménagé soit pour poursuivre leurs études ou aller travailler dans une autre ville. Du jour au lendemain, j'ai cessé d'être populaire et toujours occupée pour me retrouver larguée, dépossédée et désillusionnée. J'apprenais brutalement que les adultes doivent renoncer aux joies de l'enfance et aux amis de la cour d'école pour se construire une vie propre. J'étais peut-être malade le jour où ils ont présenté cette leçon dans le cours d'économie familiale ?

J'ai mis des mois à faire le deuil de la personne que j'étais jusqu'alors. Mais la vie est ainsi faite que j'ai commencé à me sentir plus forte et plus stable. J'ai commencé à faire des choix pour moi (m'inscrire à l'école de coiffure, par exemple) et à suivre des cours au centre communautaire. Je me suis fait de nouveaux amis provenant de divers milieux et je les ai choisis parce qu'ils me plaisaient et que nous avions des intérêts communs, et non parce qu'ils étaient mes voisins ou qu'ils jouaient dans mon équipe de soccer.

Parfois, il faut perdre des morceaux pour devenir une nouvelle et meilleure personne. Ce fut une période difficile de ma vie, mais je n'ai pas souffert pour rien.

LA FICHE DE TRAVAIL DE SOPHIE – MA PIRE EXPÉRIENCE DE VIE

LORS DE MA PIRE EXPÉRIENCE DE VIE, J'AI DÉTESTÉ...

A. Complétez la phrase « *J'ai détesté...* » en énumérant quatre aspects de votre PIRE expérience de vie.	Indiquez ensuite, à partir de votre liste de besoins personnels, un ou des besoins que chaque aspect laissait insatisfaits.
1. Me sentir déconnectée de mes anciens amis.	→ APPARTENANCE
2. Me sentir moins importante au sein de ma collectivité.	→ INFLUENCE, ATTENTION
3. Devoir faire le deuil d'un mode de vie dans lequel j'étais bien.	→ PLAISIR
4. Découvrir que je n'avais pas de but défini ou de projet de vie particulier.	→ UNICITÉ

LORS DE MA PIRE EXPÉRIENCE DE VIE, J'AI AIMÉ...

B. Complétez la phrase « *J'ai aimé...* » en énumérant quatre aspects de votre PIRE expérience de vie.	Indiquez ensuite, à partir de votre liste de besoins personnels, un ou des besoins que satisfaisait chaque aspect.
1. Prendre conscience du pouvoir que je détenais en tant qu'adulte.	→ POUVOIR, AUTONOMIE
2. Découvrir que j'avais des choix à ma disposition, et que la décision me revenait.	→ LIBERTÉ
3. Découvrir que le monde est rempli de gens très différents.	→ APPARTENANCE
4. Sentir qu'un monde de possibilités s'offrait à moi.	→ LIBERTÉ

Calcul des résultats

La liste personnelle des besoins de Sophie est maintenant remplie. Les besoins à la clé de son épanouissement sont mis en lumière dans chaque exercice :

LISTE PERSONNELLE DES BESOINS DE SOPHIE																
	Exercice n° 1				Exercice n° 2				Exercice n° 3				Exercice n° 4			
Appartenance	x	x							x				x	x		
Appréciation									x							
Approbation									x	x						
Attention													x			
Autonomie													x			
Aventure	x								x							
Contribution	x															
Créativité	x								x							
Équité	x															
Individualité																
Influence													x			
Intégrité	x															
Leadership																
Liberté									x	x			x	x		
Originalité	x															
Plaisir	x								x				x			
Pouvoir									x				x			
Unicité	x								x				x			

Le Top 4 des besoins de SOPHIE

L'appartenance
La liberté
Le plaisir
L'unicité

QU'EST-CE QUI A CHANGÉ POUR SOPHIE ?

La plus grande surprise que m'ont procurée les exercices a été de constater que j'ai vraiment besoin d'avoir un sentiment d'appartenance avec d'autres personnes. J'en ai besoin pour être heureuse et épanouie. J'ai beau me percevoir comme une exploratrice intrépide, mon bonheur tient beaucoup à la présence des gens et aux liens que je crée avec eux. Je peux choisir d'avoir du plaisir avec mes amis tout en étant fière d'être unique au milieu d'eux.

Cela ne signifie pas que ma quête personnelle et spirituelle n'est pas importante. C'est la chose la plus importante pour moi à cette étape-ci de ma vie. Je vois cependant que je peux faire preuve de créativité pour trouver comment combiner ces besoins afin de vivre une vie plus gratifiante qui puise à mes sources de plaisir.

J'ai tellement hâte de voir ce que je vais choisir de faire !

5. À vous de jouer

LA DÉMARCHE DE DÉCOUVERTE

Je vous propose quatre exercices pour vous aider à déterminer les clés de votre épanouissement :

Exercice n° 1 – Éplucher et réduire la liste des besoins

Exercice n° 2 – Fiche de travail Découvrir – MON EMPLOI ACTUEL

Exercice n° 3 – Fiche de travail Découvrir – UN EMPLOI ANTÉRIEUR

Exercice n° 4 – Fiche de travail Découvrir – MON PIRE EMPLOI

VOICI QUELQUES NOTIONS À RETENIR AU MOMENT DE REMPLIR LA GRILLE :

- Chaque aspect de votre emploi que vous aimez ou n'aimez pas peut renvoyer à plus d'un besoin. Indiquez tous ceux qui s'appliquent à chaque aspect.

- Vous constaterez peut-être qu'un même besoin est insatisfait par plusieurs aspects de votre emploi actuel. Si c'est le cas, notez-le et faites un crochet devant ce besoin pour chaque aspect qui ne le comble pas.

- Le nombre de crochets (✓) indique l'importance d'un besoin dans votre vie, que vous l'ayez désigné comme étant satisfait ou insatisfait.

- Après avoir fait les quatre exercices, vous constaterez que vous n'avez fait aucun crochet devant certains besoins. C'est qu'ils ne font pas partie de votre Top 4.

À la découverte des clés
de votre épanouissement :

VOTRE STYLE DÉCISIONNEL

Nous ne prenons pas tous nos décisions de la même façon. Dans *Créez des liens authentiques grâce à la PNL,* je présente quatre styles d'apprentissage que les gens utilisent pour prendre des décisions. La connaissance et la compréhension des mécanismes de votre style décisionnel vous aideront à faire les exercices proposés ci-dessus. Sauriez-vous reconnaître votre style décisionnel ?

	Certains d'entre vous peuvent voir un mot et être aussitôt capables de dire s'il **s'adresse à vous**.
	Certains d'entre vous trouvent une résonance particulière à un mot ; lorsque vous l'**entendrez**, vous saurez qu'il vous convient.
	Certains d'entre vous **sentiront** que certains mots vous correspondent. Vous le **sentirez** peut-être même dans vos tripes.
	Certains d'entre vous **savent** peut-être déjà quels mots devraient figurer sur votre liste personnelle.

EXERCICE N° 1 – LA LISTE MAÎTRESSE DES BESOINS LIÉS À L'ÉPANOUISSEMENT :

BESOINS	NOTES
Accomplissement	
Appartenance	
Appréciation	
Approbation	
Attention	
Autonomie	
Aventure	
Communauté	
Confiance	
Contribution	
Contrôle	
Créativité	
Défi	
Équité	
Gratitude	
Inclusion	
Individualité	
Influence	

BESOINS	NOTES
Intégrité	
Intimité	
Leadership	
Liberté	
Originalité	
Plaisir	
Pouvoir	
Reconnaissance	
Réussite	
Sécurité	
Unicité	
Valorisation	

EXERCICE N° 2 – MON EMPLOI ACTUEL

DANS MON EMPLOI ACTUEL, JE N'AIME VRAIMENT PAS...	
A. Complétez la phrase « *Je n'aime vraiment pas...* » en énumérant quatre aspects de votre emploi actuel.	Indiquez ensuite, à partir de votre liste de besoins personnels, un besoin que chaque aspect laisse insatisfait.
1.	→
2.	→
3.	→
4.	→

DANS MON EMPLOI ACTUEL, J'ADORE...	
B. Complétez la phrase « *J'adore...* » en énumérant quatre aspects de votre emploi actuel.	Indiquez ensuite, à partir de votre liste de besoins personnels, un besoin que satisfait chaque aspect.
1.	→
2.	→
3.	→
4.	→

EXERCICE N° 3 – UN EMPLOI ANTÉRIEUR

DANS CET EMPLOI, JE N'AIMAIS VRAIMENT PAS...	
A. Complétez la phrase « *Je n'aimais vraiment pas...* » en énumérant quatre aspects de cet emploi que vous avez occupé.	Indiquez ensuite, à partir de votre liste de besoins personnels, un besoin que chaque aspect laissait insatisfait.
1. →	
2. →	
3. →	
4. →	
DANS CET EMPLOI, J'ADORAIS...	
B. Complétez la phrase « *J'adorais...* » en énumérant quatre aspects de votre ancien emploi.	Indiquez ensuite, à partir de votre liste de besoins personnels, un besoin que satisfaisait chaque aspect.
1. →	
2. →	
3. →	
4. →	

EXERCICE N° 4 – MON PIRE EMPLOI

DANS CET EMPLOI DÉTESTABLE, JE N'AIMAIS VRAIMENT PAS...	
A. Complétez la phrase « *Je n'aimais vraiment pas...* » en énumérant quatre aspects de cet emploi que vous avez occupé.	Indiquez ensuite, à partir de votre liste de besoins personnels, un besoin que chaque aspect laissait insatisfait.
1.	→
2.	→
3.	→
4.	→

DANS CET EMPLOI DÉTESTABLE, J'AIMAIS...	
B. Complétez la phrase « *J'aimais...* » en énumérant quatre aspects de votre ancien emploi.	Indiquez ensuite, à partir de votre liste de besoins personnels, un besoin que satisfaisait chaque aspect.
1.	→
2.	→
3.	→
4.	→

MA LISTE PERSONNELLE DE BESOINS

Exercice n° 1	Exercice n° 2				Exercice n° 3				Exercice n° 4			

Gardez les points suivants à l'esprit lorsque vous ferez la démarche pour votre vie personnelle :

- Chaque aspect de votre expérience de vie personnelle que vous aimez ou n'aimez pas peut renvoyer à plus d'un besoin. Indiquez tous ceux qui s'appliquent à chaque aspect.

- Vous constaterez peut-être qu'un même besoin est insatisfait par plusieurs aspects de votre vie personnelle actuelle. Si c'est le cas, notez-le et faites un crochet devant ce besoin pour chaque aspect qui ne le comble pas.

- Le nombre de crochets (✓) indique l'importance d'un besoin dans votre vie, que vous l'ayez désigné comme étant satisfait ou insatisfait.

- Après avoir fait les quatre exercices, vous constaterez que vous n'avez fait aucun crochet devant certains besoins. C'est qu'ils ne font pas partie de votre Top 4.

6. Mise en pratique

Vous connaissez maintenant les besoins à la clé de votre épanouissement

ET MAINTENANT, QU'EST-CE QUE JE FAIS?

Lorsqu'on ne sait pas ce qui nous rend heureux, on court le risque de se retrouver avec des gens, dans des situations ou dans un emploi qui ne nous conviennent pas. Vous comprenez maintenant – du moins, je l'espère – que ce qui fait que vous ne vous sentez pas bien auprès d'une personne, dans une situation ou dans un emploi, c'est qu'elle ou il ne répond pas à vos besoins. C'est pourquoi il est si important de connaître les besoins essentiels à notre épanouissement.

Maintenant que vous avez défini votre Top 4, vous pouvez en faire un repère ou un instrument de mesure pour orienter vos décisions.

Le besoin d'influencer positivement les gens fait partie de mon Top 4. Je suis donc comblé lorsque j'entends parler de gens qui ont fait la démarche que je propose et qui sont emballés de me raconter ce qu'elle les a amenés à changer dans leur vie.

Voici quelques exemples illustrant comment des gens ont amélioré leur vie en tablant sur la connaissance de leurs besoins :

Lors d'une recherche d'emploi, plusieurs ont dit utiliser leur Top 4 pour déterminer le type d'emploi qui les comblera. Certaines personnes disent même qu'au moment de prendre leur décision, leur Top 4 pèse plus lourd dans la balance que le salaire.

D'autres utilisateurs ont déclaré que leurs relations avec leurs associés ou leurs collègues s'étaient améliorées depuis qu'ils avaient pris connaissance de leurs besoins mutuels. Les membres de certaines équipes de travail ont parlé d'un sentiment d'appartenance accru depuis que toute l'équipe a suivi la démarche et que ses membres ont fait connaître leurs besoins. Certaines équipes ont même produit un rapport qui énumère les besoins de chacun des membres !

D'autres personnes disent utiliser cette information pour améliorer leurs relations avec leurs proches. En étant conscientes des besoins de leur conjoint ou de leurs amis, elles font un effort conscient pour aider ceux-ci à les combler ou, à tout le moins, elles en tiennent compte.

VOICI COMMENT J'AI APPLIQUÉ LA CONNAISSANCE DE MES BESOINS À MON TRAVAIL

Depuis que j'ai déterminé mon Top 4, je me suis créé une vie et une entreprise qui me permettent de combler mes besoins sur une base quotidienne. Toutes mes décisions reposent sur la satisfaction des besoins essentiels à mon épanouissement.

Voyez les moyens que j'ai pris pour que les besoins de mon Top 4 – attention, influence, intimité et liberté – soient satisfaits :

MES STRATÉGIES POUR SATISFAIRE MES BESOINS ET M'ÉPANOUIR

- Séminaires d'une journée (un à deux par mois)

- Présentations (une à deux par mois)

- Séances de signature de livres

- Entrevues à la radio (deux à trois fois par semaine)

- Page Facebook

- Webinaires

- Coaching et mentorat

**« Hé, Michael ! J'ai entendu dire qu'on cherche
un opérateur de grue. Tu doublerais ton salaire.
Ça t'intéresse ? »**

**« Mmm, voyons voir… Est-ce que ce poste
me permettrait de satisfaire les besoins
de mon Top 4 ? »**

À votre tour, maintenant

À quels moyens pourriez-vous recourir pour tenir compte de votre Top 4 dans votre vie afin d'améliorer celle-ci? Prenez le temps de réfléchir aux observations et aux découvertes que vous faites sans doute à mesure que se précisent les liens entre vos expériences passées et la découverte de votre Top 4.

Vous engagerez-vous à privilégier les choix qui tiennent compte de vos besoins? Vous serez maintenant plus conscient, lorsque cela se produira, des actions qui vont à l'encontre de vos besoins et vous empêchent d'être épanoui. Si vous devez faire des choses qui ne vous comblent pas, essayez d'en venir à bout rapidement!

Quels moyens pouvez-vous mettre en place dans *votre* vie pour que les besoins de votre Top 4 soient satisfaits chaque jour?

MES STRATÉGIES POUR COMBLER LES BESOINS DE MON TOP 4

Sommaire
et aide-mémoire
de cette partie

Cette partie vous a permis de découvrir :

☐ Que la connaissance de votre Top 4 peut vous aider
à prendre des décisions.

☐ Que vous pouvez recourir à des stratégies pour satisfaire
vos besoins régulièrement.

7. Apprivoisez votre Top 4

RECOUREZ-VOUS À DES MOYENS EFFICACES OU INEFFICACES POUR COMBLER VOS BESOINS ET VOUS ÉPANOUIR ?

Maintenant que vous avez déterminé vos quatre besoins principaux (ou plus), voici un exercice pour tester la justesse de votre choix et, peut-être, pour repérer le besoin le plus impérieux et le plus important pour vous.

Vous avez peut-être coché un même nombre de fois certains besoins de votre liste personnelle, si bien que vous n'arrivez pas à déterminer leur ordre d'importance. Peut-être, aussi, avez-vous coché plusieurs fois le même besoin, mais vous n'êtes toujours pas convaincu qu'il vous correspond.

Pour savoir quels besoins devraient figurer dans votre Top 4 (ou pour déterminer le plus impérieux des quatre), posez-vous la question suivante :

M'est-il déjà arrivé de recourir à un moyen inefficace ou discutable pour combler ce besoin ?

Dans la plupart des cas, la réponse sera oui s'il s'agit de l'un de vos besoins les plus essentiels.

Par exemple, pour déterminer si le besoin d'attention fait partie de votre Top 4, demandez-vous si vous avez déjà eu recours à des moyens discutables ou inefficaces pour obtenir de l'attention. Autrement dit, étiez-vous le bouffon de la classe? Aviez-vous la manie de faire étalage de ce que vous aviez? Une réponse affirmative est signe que le besoin d'attention fait partie de votre Top 4.

Vous avez besoin d'approbation? Avez-vous déjà recouru à des moyens discutables ou inefficaces pour obtenir l'approbation de quelqu'un? Si vous vous souvenez, encore aujourd'hui, d'un moment où vous auriez fait n'importe quoi pour attirer l'attention ou obtenir l'approbation, vous saurez que vous avez bien fait d'intégrer ces besoins à votre Top 4.

Les stratégies efficaces et inefficaces

STRATÉGIES EFFICACES ET INEFFICACES POUR COMBLER VOS BESOINS ET ÊTRE ÉPANOUI		
Les besoins de Florence	**Stratégie efficace**	**Stratégie inefficace**
Appartenance	Me montrer sociable au travail	Essayer trop fort d'être aimée
Liberté	M'accorder une journée par semaine pour faire ce qui me plaît	Annuler des engagements pris avec la famille ou des amis
Plaisir	Organiser des activités et des réceptions	Il m'est arrivé, plus jeune, de me moquer d'autrui

Inscrivez vos quatre besoins principaux dans le tableau ci-dessous et essayez de vous rappeler des stratégies efficaces et inefficaces auxquelles vous avez recouru pour les combler.

Mes besoins	👍 Stratégie efficace	👎 Stratégie inefficace

Ajoutez d'autres lignes si vous souhaitez tester d'autres besoins.

Vous remarquerez peut-être que vous avez recouru plus souvent à des stratégies inefficaces pour combler l'un des besoins de votre Top 4 que vous ne l'avez fait pour combler les autres besoins. C'est un indice que ce besoin est plus fort que les autres.

LE PRINCIPE DES PAPILLONS ADHÉSIFS : COMMENT CLASSER VOTRE TOP 4

Idéalement, l'exercice qui suit vous permettra de classer les besoins de votre Top 4 par ordre d'importance.

1. Servez-vous de votre intuition

Transcrivez chaque besoin de votre Top 4 (ou plus) sur un papillon adhésif. Réfléchissez à chacun. Est-ce que ça vous ressemble ? Est-ce cohérent avec vous ? Vous percevez-vous de cette façon ?

En réfléchissant à chaque besoin, faites appel à votre intuition pour les placer en ordre, du plus impérieux au moins important. Placez les papillons dans cet ordre sur un mur ou un babillard, le besoin le plus important coiffant les autres. Continuez à déplacer les papillons jusqu'à ce que l'ordre choisi vous semble le plus plausible, le plus juste.

2. Rappelez-vous des événements malheureux ou insatisfaisants

Rappelez-vous des événements et des occasions où vous n'étiez *pas* épanoui. Les événements marquants qui vous ont rendu malheureux sont une bonne indication que vos besoins n'étaient pas satisfaits. Chaque fois qu'un souvenir déplaisant vous revient en mémoire, consultez vos papillons adhésifs et essayez de déterminer les besoins qui n'ont pas été satisfaits à l'époque.

Cet exercice peut s'avérer très efficace pour déterminer vos besoins les plus importants. Il est souvent plus facile de se rappeler des occasions ou des événements déplaisants, et maintenant que vous connaissez votre Top 4 et avez une idée de l'importance respective de chacun de vos besoins, vous pouvez commencer à comprendre pourquoi vous étiez si malheureux à l'époque.

Par exemple, Denis, l'un de mes clients, a déterminé que le besoin de reconnaissance faisait partie de son Top 4. Il se rappelle fort bien ce projet spécial pour lequel il a travaillé les soirs et les fins de semaine, sans recevoir la moindre marque de reconnaissance de son patron. Il se souvient de la colère et du ressentiment qu'il avait éprouvé alors, en raison de son grand besoin de reconnaissance.

3. Rappelez-vous des événements heureux ou gratifiants

Rappelez-vous les expériences qui ont été des sources de joie. Chaque fois qu'une expérience passée vous amène à dire : « Wow ! C'était vraiment formidable ! », réfléchissez au besoin que cette expérience vous a permis de satisfaire. L'exercice jettera un nouvel éclairage sur les causes du plaisir que vous a procuré cette expérience.

Denis s'est rappelé avec précision le jour où il a aidé ses voisins âgés à émonder un arbre de leur jardin. Pendant des années, par la suite, ils lui ont exprimé leur reconnaissance en rappelant ce souvenir chaque fois qu'ils le saluaient ou qu'ils organisaient une réception avec le voisinage. Denis comprend maintenant pourquoi ces marques de reconnaissance lui faisaient si chaud au cœur.

4. Rappelez-vous une décision importante que vous avez prise un jour :

- La rupture d'une relation ou d'une amitié ;
- La naissance d'une relation ou d'une amitié ;
- La démission d'un poste ;
- L'obtention d'un emploi ;
- L'achat d'un gros électroménager ou d'une maison ;
- Le choix d'une destination de vacances ;
- L'achat d'une maison ou d'un véhicule en particulier ;
- L'abandon d'un travail bénévole ;
- Le début d'une implication bénévole ;
- L'adhésion à un groupe ou à un club ;
- La défection d'un groupe ou d'un club.

Qu'est-ce qui, alors, vous a aidé à prendre ces décisions ? Sont-elles encore fondées aujourd'hui ? Comprenez-vous mieux pourquoi vous avez ajouté ou éliminé une chose ou une personne de votre vie ?

Voyez-vous et comprenez-vous le rapport entre les décisions que vous avez prises et les besoins de votre Top 4 ?

5. Prenez acte de ce qui vous comble aujourd'hui

Dès lors que vous vivez une expérience totalement gratifiante, validez l'ordre dans lequel vous avez placé vos papillons adhésifs. Notez les besoins que cette expérience permet de combler et celui qui s'avère le plus important. Déplacez vos papillons adhésifs pour modifier l'ordre au besoin. Répétez l'expérience chaque fois que vous vivez une expérience gratifiante.

Prenez l'habitude de consulter votre liste de besoins jusqu'à ce que vous arriviez à vous les rappeler facilement et à y recourir pour évaluer une situation.

Avec le temps, vous remarquerez peut-être qu'un bon nombre de vos expériences sont associées au même besoin. Ce pourrait être un signe que ce besoin est très important pour vous. Soyez attentif, reconnaissez l'importance de ce besoin pour vous et songez à déplacer ce papillon adhésif au sommet de votre liste.

Vous risquez de réorganiser vos papillons adhésifs quelques fois avant d'arriver à un ordre qui vous satisfait. Revoyez-les régulièrement et continuez à soupeser l'ordre dans lequel vous avez placé vos besoins jusqu'à ce que vous soyez satisfait. Le but des papillons adhésifs est de vous habituer à consulter votre Top 4 et à en saisir l'importance dans votre vie.

Vous avez peut-être déjà pensé que les 30 besoins liés à l'épanouissement s'appliquaient à vous, mais vous avez réduit cette liste à votre Top 4.

Bravo! Quel chemin parcouru! Félicitations!

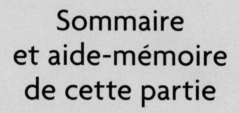

Sommaire et aide-mémoire de cette partie

Cette partie vous a permis de découvrir :

☐ Que vous pouvez recourir à des stratégies efficaces ou inefficaces pour satisfaire vos besoins et être épanoui.

☐ Comment puiser dans vos souvenirs et utiliser cette information pour organiser vos quatre besoins principaux par ordre d'importance.

☐ Que vous pouvez essayer les suggestions qui précèdent pour organiser vos quatre besoins principaux par ordre d'importance.

☐ Que vous pouvez modifier l'ordre d'importance des besoins jusqu'à ce qu'il vous semble fidèle à la réalité.

8. En quoi la connaissance de vos besoins principaux influencera-t-elle la qualité de vos relations?

DES RELATIONS GRATIFIANTES

Maintenant que vous comprenez que la satisfaction de certains besoins vous aide à vous épanouir, vous pouvez faire connaître cette démarche à d'autres personnes et les aider à prendre conscience de leurs besoins et à les satisfaire. Votre relation avec ces personnes s'en trouvera grandement améliorée.

Dans certains cas, même si les membres de votre entourage ne font pas la démarche, vous pourrez, en les observant, deviner quels pourraient être leurs besoins principaux et améliorer votre relation et vos communications. Vous serez surpris de l'effet que peut avoir votre nouvelle sensibilité sur les besoins d'autrui.

VOTRE RELATION DE COUPLE

«*Connaître les besoins essentiels à votre épanouissement, c'est emprunter un raccourci pour une relation de couple plus heureuse. Ça élimine les jeux de devinettes et les luttes de pouvoir en permettant aux partenaires d'affirmer leur vraie nature! Ils se retrouvent liés par une compréhension et une compassion mutuelles. Le quotidien devient beaucoup plus agréable et lorsqu'il faut négocier un virage plus difficile, vous le prenez en équipe. »*

– MICHELLE BERTING BRETT

La loi de l'attraction, *Michael réussit une fois de plus à nous proposer un formidable guide pratique. »*

– ADRIANA GENDRON

Comptez-vous dans votre entourage (à moins qu'il ne s'agisse de vous) une personne qui souffre de ne pas être épanouie dans son couple?

Si c'est le cas, il est aussi probable que vous connaissiez des gens qui *sont* épanouis dans leur vie de couple ; il suffit de les fréquenter un peu pour en avoir la certitude.

Si vous avez fait la démarche pour découvrir vos besoins dans votre vie relationnelle, vous avez probablement découvert pourquoi et à quels égards vos besoins étaient insatisfaits dans votre relation actuelle et dans vos relations antérieures.

Vous et votre conjoint pouvez, lorsque vous connaissez vos besoins respectifs et en tenez compte, améliorer l'harmonie et la communication entre vous. Par où commencer? Idéalement, vous serez intéressés tous les deux à découvrir comment vous épanouir davantage, tant au sein de votre couple qu'individuellement.

Mes clients Brenda et Paul s'étaient épousés huit ans plus tôt et avaient fondé une famille. Ils aspiraient tous les deux à s'épanouir davantage au sein de leur couple. J'ai commencé par les accompagner individuellement dans la démarche de découverte de leurs besoins respectifs. Ils ont obtenu les résultats suivants :

Le Top 4 de Brenda : *autonomie, contrôle, confiance et contribution.*

Le Top 4 de Paul : *attention, leadership, influence et contribution.*

Je leur ai ensuite demandé de mettre en commun leurs découvertes concernant leurs besoins au sein de leur relation. En plus de mieux comprendre leurs propres besoins, Brenda et Paul ont pu prendre conscience des besoins de l'autre. Ils ont constaté tous les deux qu'ils ne s'étaient pas préoccupés outre mesure de ce qui aurait pu contribuer à l'épanouissement de leur partenaire.

La fiche de travail de Brenda

Après avoir présenté à votre partenaire les résultats de la démarche pour déterminer votre Top 4, répondez aux questions suivantes.

1. Qu'avez-vous appris sur vous-même?

Avant, j'étais embarrassée d'avouer que j'avais besoin d'autonomie (ou que j'aimais être seule à l'occasion). Je comprends maintenant que c'est important pour moi; ça contribue à mon mieux-être. Et lorsque les choses sont en ordre, je me sens plus en contrôle. Dans l'ensemble, j'aime être capable de nommer les besoins clés de mon épanouissement.

2. Qu'avez-vous appris sur votre partenaire?

Je n'avais jamais réalisé que Paul avait besoin d'attention et que cela entrait parfois en conflit avec mon besoin d'autonomie. J'ai aussi appris qu'en faisant preuve de leadership, Paul comble son besoin de contribution.

3. Qu'est-ce qui risque de changer dans votre relation dorénavant?

Maintenant que je connais nos besoins respectifs, je peux veiller à la satisfaction de mes besoins et encourager Paul à faire de même pour les siens. Je peux essayer de le laisser prendre la direction des opérations, planifier davantage nos voyages et trouver des moyens de lui accorder l'attention dont il a besoin.

4. Quelles suggestions pourriez-vous faire à votre partenaire pour qu'il vous aide à satisfaire vos besoins?

MES BESOINS	MES SUGGESTIONS POUR PAUL
1. Autonomie	*Nous pourrions réserver une pièce pour moi dans la maison. J'aurais plus de facilité à le faire si je sentais que Paul est d'accord.*
2. Contrôle	*Parce que l'ordre est très important pour moi, Paul m'aiderait beaucoup en gardant à l'esprit mon besoin de ne pas déroger à ma planification. Il a tendance à s'emballer sur de nouvelles idées, et ça m'aiderait s'il pouvait trouver des moyens d'explorer ces idées sans bouleverser mes plans.*
3. Confiance	*Je suis en voie de lancer mon entreprise. Je me sentirais plus en confiance si je sais que je peux compter (financièrement) sur Paul.*
4. Contribution	*Nous aimons contribuer tous les deux à faire avancer les choses. Nous le faisons depuis des années. Nous ne sommes jamais plus heureux que durant ces moments. Nous le ferons plus souvent à l'avenir.*

Fiche de travail sur la relation de couple

À VOTRE TOUR, MAINTENANT.

Une fois que vous aurez fait la démarche pour déterminer votre Top 4 et que vous l'aurez présenté à votre conjoint, répondez aux questions suivantes.

1. Qu'avez-vous appris sur vous-même ?

_____

_____

_____

2. Qu'avez-vous appris sur votre partenaire ?

_____

_____

_____

3. Qu'est-ce qui risque de changer dans votre relation, dorénavant ?

_____

_____

_____

4. Quelles suggestions pourriez-vous faire à votre partenaire pour qu'il vous aide à satisfaire vos besoins ?

_____

_____

_____

MES BESOINS	MES SUGGESTIONS POUR MON CONJOINT
1.	
2.	
3.	
4.	

Affichez tous les deux votre Top 4 dans un endroit où vous pourrez les relire régulièrement. Continuez de réfléchir à votre relation de couple et tentez de trouver des façons créatives de vous aider mutuellement à satisfaire les besoins de votre Top 4 respectif.

L'application du Top 4 à d'autres relations

Brenda et Paul ont aussi utilisé leur connaissance des besoins essentiels à l'épanouissement pour améliorer leur communication et leur relation avec leurs filles âgées de 6 et 7 ans. En observant leurs enfants, ils avaient une bonne idée de leurs besoins à elles. Cette connaissance a fait une énorme différence dans la qualité des relations et de la communication avec leurs enfants.

Voici, selon Brenda et Paul, les besoins à la clé de l'épanouissement de leur fille aînée.

BESOINS DE L'AÎNÉE	CE QUE NOUS POUVONS FAIRE COMME PARENTS
1. Attention	*Nous avons appris à notre fille qu'elle peut avoir notre attention lorsqu'elle en a besoin.*
2. Reconnaissance	*Nous pouvons faire mieux pour prendre acte plus souvent de ce que fait notre fille, particulièrement en utilisant le verbe « reconnaître » dans nos communications.*

Voici, selon Brenda et Paul, les besoins à la clé de l'épanouissement de leur cadette.

BESOINS DE LA CADETTE	CE QUE NOUS POUVONS FAIRE COMME PARENTS
1. Autonomie	*Nous pouvons respecter le désir de notre fille lorsqu'elle veut être seule pour lire un livre ou jouer.*
2. Contrôle	*Nous pouvons lui confier la responsabilité de certaines tâches hebdomadaires ou mensuelles.*

Comment favoriser l'épanouissement de vos associés

Lorsque trois associés d'une entreprise de télécommunications firent appel à moi pour les aider à résoudre leurs problèmes de communications, je constatai rapidement que l'un des associés répétait parfois ce qu'il venait de dire, comme pour être entendu et reconnu.

J'ai deviné que le besoin de reconnaissance faisait sans doute partie de son Top 4 et je lui demandai de décrire ce qu'il ressentait lorsqu'il présentait une idée à ses associés. Il me dit qu'il se sentait souvent frustré lorsqu'il n'obtenait, pour toute réaction, qu'un hochement de tête ou lorsque ses partenaires ne se donnaient même pas la peine de réagir à ses courriels. Il ne tirait aucun plaisir de leurs séances de remue-méninges puisqu'il ne se sentait pas entendu ou considéré.

Ses associés furent surpris de l'entendre dire qu'il ne se sentait pas considéré ; ils n'avaient pas réalisé à quel point c'était important pour lui. Puisqu'ils ne ressentaient pas un tel besoin de reconnaissance, ils n'avaient pas conscience qu'il puisse en aller autrement pour leur associé. À partir de ce moment, ils acceptèrent de faire un effort conscient pour reconnaître ses contributions.

Nous avons discuté ensemble de leur objectif commun – qui était d'avoir une entreprise prospère au sein de laquelle régnait l'harmonie – et des avantages qu'ils pourraient tirer à connaître et à tenir compte de leurs besoins respectifs pour atteindre cet objectif.

Sommaire
et aide-mémoire
de cette partie

Cette partie vous a permis de découvrir :

- ☐ Que la connaissance de vos besoins principaux et de ceux de votre conjoint peut améliorer considérablement votre relation et la façon dont vous communiquez.

- ☐ Qu'on peut trouver des moyens de s'aider mutuellement à satisfaire nos besoins respectifs.

- ☐ Que d'autres types de relations peuvent s'améliorer lorsque les parties connaissent leurs besoins respectifs et en tiennent compte.

9. Comment utiliser la loi de l'attraction pour s'épanouir

ATTIRER DES OCCASIONS GRATIFIANTES GRÂCE À LA LOI DE L'ATTRACTION

Vous avez maintenant une meilleure compréhension de ce qui contribue à votre épanouissement. Il est temps, maintenant, de faire appel à la loi de l'attraction pour attirer les occasions, les idées et l'information qui vous aideront à satisfaire vos besoins et à vous épanouir.

Dans mon premier livre, intitulé *La loi de l'attraction*, j'explique de quelle façon nous pouvons attirer dans notre vie plus de ce que nous voulons et moins de ce que nous ne voulons pas. Par les mots que nous utilisons et les pensées que nous entretenons, nous émettons des vibrations, et ce que nous attirons correspond aux vibrations que nous émettons. La vie est faite d'énergie, et l'énergie attire une énergie qui lui correspond.

En termes simples, la loi de l'attraction signifie que nous attirons dans notre vie du positif ou du négatif, selon que nous accordons notre attention, notre énergie et notre concentration à des choses positives ou négatives.

LES MOTS ET LES PENSÉES CRÉENT DES VIBRATIONS

Mots	Pensées	Vibrations +/−

J'ai, dans ma propre vie, attiré de nombreuses occasions qui répondaient à mon Top 4. Vous pouvez le faire aussi !

La **1ʳᵉ étape** selon la loi de l'attraction, consiste à déterminer ce que vous voulez. Vous avez déjà fait cet exercice dans ces pages en déterminant les besoins clés de votre épanouissement et en adoptant des stratégies pour les satisfaire.

La **2ᵉ étape** selon la loi de l'attraction, consiste à accorder son attention, son énergie et sa concentration à ce qu'on désire de façon à envoyer une vibration positive et à attirer des occasions correspondantes.

Pour vous aider dans la deuxième étape, voici trois scénarios types que vous pouvez utiliser pour vous aider à consacrer votre attention, votre énergie et votre concentration aux besoins que vous souhaitez satisfaire pour vous épanouir. Les scénarios sont conçus pour que vous témoigniez une attention positive à vos désirs.

Des scénarios pour consacrer votre attention, votre énergie et votre concentration à vos désirs

Scénario 1 : « Je suis en voie d'attirer et de favoriser tout ce que je dois faire, savoir et avoir pour obtenir des occasions de satisfaire mon Top 4, soit les besoins de/d'_____, de/d'_____, de/d'_____ et de/d'_____ (indiquez vos besoins). J'aime savoir que la loi de l'attraction est à l'œuvre et orchestre ce qui doit se produire afin que j'aie une vie riche et remplie de joie grâce à des stratégies positives pour satisfaire mes besoins. »

Scénario 2 : « J'aime l'idée d'attirer des ressources et de l'information qui me conduiront aux stratégies nécessaires à la satisfaction de mes besoins. J'aime savoir que la loi de l'attraction me procurera des contacts, de l'information et des ressources propices à la satisfaction de mes besoins. »

Scénario 3 : « J'aime savoir que la loi de l'attraction est à l'œuvre et orchestre ce qui doit se produire pour m'apporter ce que j'ai besoin d'attirer afin de vivre une vie heureuse grâce à la satisfaction de mes besoins. J'aime attirer des stratégies que je peux appliquer pour combler mes besoins de façon efficace. »

Libre à vous d'adapter ces formulations à vos besoins et à vos désirs. Essayez d'y intégrer les besoins de votre Top 4 ou créez vos propres scénarios en veillant à ce qu'ils mentionnent vos besoins et à être à l'aise lorsque vous les lisez à voix haute. Affichez-les à un endroit où vous pouvez les lire souvent.

Rappelez-vous : plus vous consacrerez d'attention, d'énergie et de concentration à vos désirs, plus forte et plus claire sera la vibration que vous enverrez.

La **3e étape** de la loi de l'attraction consiste à supprimer le doute, de façon à permettre aux possibilités de parvenir jusqu'à vous. Vous pouvez le faire en remarquant et en saluant les choses qui surviennent dans votre vie et qui vous aident à satisfaire vos besoins.

Dites-vous des choses comme :

« Je constate que j'attire de l'information, des gens et des ressources qui m'aident à satisfaire mes besoins. »

Lorsque vous utilisez la loi de l'attraction pour attirer des stratégies, vous constaterez peut-être que vous n'attirez que des éléments d'une stratégie ou d'une idée. En d'autres mots, la stratégie globale ne viendra pas forcément à vous d'un coup. Remarquez les choses qui surviennent néanmoins. Retenez le nombre de choses que vous attirez et qui sont propices à la satisfaction de vos besoins. Cela vous aidera à croire que vous pouvez attirer ce dont vous avez besoin.

En notant le nombre de choses positives que vous attirez, vous enverrez des vibrations positives.

Sommaire et aide-mémoire de cette partie

Cette partie vous a permis de découvrir :

☐ Que nous pouvons utiliser la loi de l'attraction pour attirer des occasions, des idées et de l'information qui nous aideront à satisfaire nos besoins.

☐ Que plus nous consacrons d'attention, d'énergie et de concentration à nos désirs, plus nous envoyons une vibration claire à laquelle la loi de l'attraction pourra répondre.

☐ Qu'il est important de remarquer et de saluer les choses qui surviennent dans votre vie et qui jouent un rôle dans la satisfaction de vos besoins.

10. Pratique quotidienne – journal d'observation de 7 jours

EMPLOYEZ-VOUS CHAQUE JOUR À SATISFAIRE LES BESOINS DE VOTRE TOP 4

Maintenant que vous comprenez mieux comment satisfaire les besoins de votre Top 4, il est temps de nous assurer que vous comprenez bien comment ce savoir influencera toutes les sphères de votre vie.

Pour ce faire, vous devrez consacrer plus de temps à observer les constantes. Lorsque vous vous sentez super bien, demandez-vous quels besoins sont satisfaits en cet instant précis ; c'est une bonne façon de valider que vous comblez vos besoins de façon constructive.

Le journal d'observation qui suit est conçu pour vous aider à maintenir votre attention sur ce processus pendant sept jours. Vous y consignerez de nombreuses observations et révélations lorsque vous commencerez à remarquer une différence dans votre humeur lorsque vos besoins seront satisfaits. Vous apprendrez rapidement à prendre toutes vos décisions en fonction de la satisfaction de vos besoins.

C'est une démarche exploratoire, une occasion d'intégrer vos connaissances et d'en apprendre plus sur la façon de satisfaire vos besoins pour être épanouie. Conservez ce journal à portée de mains en tout temps.

LES CLÉS DE MON ÉPANOUISSEMENT – JOURNAL D'OBSERVATION DE 7 JOURS :

Date : _____   Jour : _____

Voici ce que j'ai remarqué et ce que je fais différemment maintenant que j'ai découvert mon Top 4.

Dans mon couple

_____

_____

_____

_____

Au travail/dans ma carrière

_____

_____

_____

_____

Avec mes amis

_____

_____

_____

_____

Dans ma vie en général

_____

_____

_____

_____

Glossaire interprétatif des besoins liés à l'épanouissement

Ce glossaire des besoins liés à l'épanouissement peut vous aider à clarifier la signification des mots.

Je l'appelle «glossaire interprétatif» parce que je l'ai constitué à partir d'interprétations et de définitions de plusieurs personnes.

Rappelez-vous que vous pouvez recadrer les définitions selon votre propre interprétation. Vous pouvez même combiner des mots si cela vous semble mieux et plus logique.

C'est votre interprétation qui compte!

GLOSSAIRE INTERPRÉTATIF DES BESOINS LIÉS À L'ÉPANOUISSEMENT

Accomplissement

• Le fait de réaliser quelque chose, de mener un projet à terme (ex.: la réduction de sa dette personnelle était un véritable accomplissement).

• L'achèvement d'une tâche (ex.: finir ses études était tout un accomplissement).

Appartenance

• Se sentir en communion avec quelqu'un (ex.: elle aimait ce sentiment d'appartenance que lui procuraient leurs promenades, main dans la main).

• Le fait d'appartenir à un groupe social ou professionnel (ex.: il revendiquait son appartenance à la société qui l'avait accueilli).

Appréciation

• Le fait de reconnaître et de saluer les qualités d'une personne ou d'une chose (ex.: j'ai souri, en signe d'appréciation de son geste).

• Gratitude à l'égard de la contribution ou de l'action d'une personne (ex.: elle lui a fait part de son appréciation pour son travail colossal).

Approbation

• Le fait de considérer quelqu'un ou quelque chose comme étant bon ou acceptable (ex.: les acteurs ont besoin de l'approbation de l'auditoire).

• L'expression d'une opinion favorable (ex.: elle espérait que sa mère approuve sa tenue).

Attention

• Intérêt pour quelqu'un ou quelque chose; le fait de considérer quelqu'un ou quelque chose comme étant intéressant ou important (ex.: elle était ravie de l'attention que ses pas de danse originaux avaient suscitée).

• Le fait d'accorder un soin particulier ou de la considération à une tâche (ex.: il consacra toute son attention au problème).

Autonomie

• Liberté de tout contrôle ou de toute influence extérieure (ex.: elle aimait l'autonomie que lui procurait le fait d'être son propre patron).

• Tu peux y arriver seule. Tu préfères ça ainsi (ex.: il n'avait pas besoin de faire partie d'une équipe pour réaliser un projet; et il fonctionnait mieux lorsqu'il n'avait pas à subir l'ingérence de tiers).

Aventure

• Une activité excitante, souvent spontanée et généralement risquée; l'exploration audacieuse d'un territoire inconnu ou une expérience inédite (ex.: elle a parcouru le monde en quête d'aventures).

• Le fait de s'exposer à un risque quelconque (ex.: il était aventureux, même dans ses investissements).

Communauté

• Le sentiment de partager des opinions, des intérêts et des buts avec d'autres (ex.: elle aspirait à ce sentiment de communauté que procure la fréquentation de l'église).

• Sentir un lien avec un groupe de personnes (ex.: il trouvait, au marché des producteurs locaux, un sentiment de communauté).

Confiance

• Sentiment de sécurité, d'assurance et d'espérance (ex.: son nouvel emploi et le salaire qu'il commandait lui ont procuré un sentiment de confiance).

• Sentiment d'assurance et de protection (ex.: elle se sentait en confiance dans le nouvel immeuble où elle avait emménagé).

Contribution

• Le rôle que joue une personne dans l'atteinte d'un résultat ou l'avancement d'un projet (ex.: le don qu'elle a versé au refuge est une précieuse contribution).

• Le fait de participer à un but commun (ex.: la contribution de son expertise a permis aux garçons de poursuivre leur projet).

Contrôle

• Le pouvoir d'influencer ou d'orienter le comportement des gens ou le cours des événements (ex.: la directrice de production contrôle les paramètres de rendement des équipes).

• Le fait de gérer l'organisation ou la position de personnes ou de choses selon une séquence ou une méthode particulière; cela comprend le respect d'une marche à suivre prescrite (ex. : dans ses nouvelles fonctions, il contrôlait mieux les mécanismes de suivi auprès de la clientèle).

Créativité

• La capacité d'inventer, d'imaginer et de faire preuve d'inspiration et d'ingéniosité (ex. : elle apporte une créativité rafraîchissante aux séances de résolution de problèmes).

• Recours à l'imagination ou à des idées originales, souvent dans des entreprises artistiques (ex. : ses concepts témoignent d'une créativité qui impressionne son superviseur).

Défi

• Tâche ou situation qui mettent les capacités d'une personne à l'épreuve (ex. : le flanc abrupt de la montagne était un défi pour les grimpeurs expérimentés).

• Une occasion de dépasser ou de tester ses limites (ex. : il aimait le défi que représentaient les tournois d'échecs contre des joueurs chevronnés).

Équité

• Caractère de ce qui est juste ou approprié aux circonstances (ex. : la règle du couvre-feu est équitable pour tous les étudiants).

• Le fait d'agir, d'être traité de façon impartiale (ex. : elle a traité la fautive avec équité).

Gratitude

• Appréciation ou récompense pour un exploit, un service ou une aptitude (ex. : elle a reçu le prix en reconnaissance de son engagement courageux pour défendre les droits de la personne).

• Le fait d'être reconnu en fonction de ses actions ou de sa position (ex. : il aime la reconnaissance qui vient avec la tournée).

Inclusion

• Le fait d'être considéré comme faisant partie d'un groupe ou d'une structure (ex. : son intégration dans l'équipe lui a procuré, pour la première fois, un sentiment d'inclusion).

• Le fait de participer à la planification ou à la prise de décision (ex. : elle se réjouissait d'être assez vieille pour être incluse dans la planification des vacances familiales).

Individualité

• Qualités ou caractéristiques qui distinguent une personne parmi d'autres qui se ressemblent (ex. : ses choix vestimentaires témoignaient d'un style et d'une individualité propres).

• Le fait d'être séparé, distinct ou indépendant d'autrui, de ne pas faire comme la majorité (ex. : ses parents lui ont appris à chérir son individualité, même lorsqu'il ne cadrait pas).

Influence

• La capacité d'avoir un effet sur le caractère, le développement ou le comportement d'une personne ou d'une chose (ex. : il a exercé une bonne influence sur ses élèves).

• La capacité de persuader des gens (ex. : grâce à son influence, ses collègues ont voté en faveur d'un partage des tâches).

Intégrité

• Honnêteté ; le fait d'observer des principes moraux (ex. : il a une réputation d'intégrité).

• Qualité de celui qui fait ce qu'il avait annoncé ; respecter ses engagements et sa parole (ex. : elle s'acquitte de son engagement avec intégrité).

Intimité

• Lien étroit entre deux personnes ; proximité affective, particulièrement entre deux personnes, qui prédispose à l'échange d'idées et de renseignements personnels (ex. : le degré d'intimité du couple s'accrut après l'atelier).

• Caractère d'une atmosphère privée et douillette (ex. : elle a redécoré sa chambre pour y instiller une impression d'intimité).

Leadership

• Le fait de diriger un groupe ou une organisation (ex. : les membres ont eu besoin de son leadership pendant la transition).

• La capacité de guider et de diriger autrui (ex. : le fait d'exercer son leadership pendant le projet lui a redonné confiance).

Liberté

• Le pouvoir ou le droit d'agir, de parler ou de penser sans contrainte ni restriction (ex. : il aimait jouir de la liberté de changer d'horaire régulièrement).

• Le fait d'être physiquement libre de contraintes et capable de se mouvoir facilement (ex. : elle était impatiente d'avoir la liberté de voyager dans le Sud).

Originalité

• Caractère de ce qui sort de l'ordinaire (ex. : les attentions fantaisistes dont elle entoure son conjoint la rendent originale).

• Le fait d'être connu pour son caractère particulier (ex. : on le choisissait souvent pour des projets originaux parce qu'il avait des aptitudes particulières).

Plaisir

• Joie, agrément ; caractérise un comportement enjoué (ex. : elle réalise que sa vie est dépourvue de plaisir).

• Comportement ou activité qui ne visent que l'agrément (ex. : il avait oublié le plaisir qu'il avait toujours eu à jouer de la guitare).

Pouvoir

• La capacité ou l'habileté à diriger ou à influencer le comportement d'autrui ou le cours des événements (ex.: c'est à lui qu'incombe le pouvoir de déterminer la durée des procédures).

• Sentiment personnel de contrôle sur sa vie (ex.: elle a enfin senti qu'elle avait le pouvoir de décider comment vivre sa vie).

Reconnaissance

• Expression (souvent verbale) d'appréciation à l'égard de ce qu'une personne a fait (ex.: les bons mots de Pierre à l'égard d'Hélène étaient la marque de reconnaissance qu'elle espérait recevoir).

• Le fait de prendre acte d'une action ou d'une chose (ex.: que le comité ait reconnu sa contribution en l'annonçant dans l'infolettre l'a rempli d'un sentiment de satisfaction).

Réussite

• Une chose réalisée avec succès, généralement à force d'effort, de courage ou d'aptitude (ex.: ils étaient, à juste titre, fiers de cette réussite.)

• Atteinte du degré de performance désiré (ex.: sa réussite dans sa discipline sportive est remarquable).

Sécurité

• Le fait d'être protégé contre les blessures (ex.: il se sent plus en sécurité lorsqu'il porte le harnais de sauvetage).

• Le fait d'être à l'abri du danger (ex.: les voyages en groupe lui procurent un plus grand sentiment de sécurité que l'aventure en solo).

Unicité

• Le fait d'être unique (ex. : ses concepts la rendaient unique dans son domaine).

• Le fait d'être un oiseau rare, un original (ex. : chacun de ses motifs était unique).

Valorisation

• Le fait de gagner en valeur, en importance (ex. : le fait d'être un important contributeur au projet le valorisait considérablement).

• Satisfaction que procurent un rang élevé, un statut, un titre (ex. : le respect qu'on lui témoignait était une grande source de valorisation).

Pour terminer...

Je parierais que les choses ont changé pour vous depuis que vous avez déterminé votre Top 4. Certains d'entre vous ont peut-être déjà changé d'emploi, de clients ou de relations parce que vous n'arriviez pas à combler vos besoins. Certains d'entre vous réfléchissent aux changements qu'ils pourraient apporter dans leur vie, notamment par des gestes concrets pour satisfaire leurs besoins et être épanouis.

Vous avez probablement appris des choses dans ces pages. Soyez indulgent avec vous-même lorsque vous explorerez les sphères de votre vie qui vous laissent insatisfaits, et trouvez le courage d'apporter des changements en fonction de ce qui pourrait VOUS combler et VOUS procurer plus de plaisir.

Imaginez comment vous vous sentiriez si vous vous entouriez de gens épanouis. Comment faire? En présentant ce livre et sa démarche à vos proches, à vos amis, à vos collègues et à d'autres personnes avec qui vous entretenez des liens.

Soyez suffisamment attentif à vos besoins et à ceux de vos proches et vous ferez une plus grande place au plaisir dans votre vie.

Dites OUI à une vie plus épanouie!

Prenez soin de vous,

— Michael

Mes notes

MARQUIS

Québec, Canada

Achevé d'imprimer le 2 mars 2016